HENRIK IBSEN

ET DUKKEHJEM

VED

ELSE HØST

GYLDENDAL NORSK FORLAG

Annen utgave, Annet opplag
Printed in Norway

Mariendals Boktrykkeri A/S,
Gjøvik 1972

ISBN 82 05 00470 6

Skuespillet er gjengitt etter Henrik Ibsen:
Samlede Verker, ved Didrik Arup Seip,
12. utg. 1960,
bortsett fra enkelte tilfeller
der Hundreårsutgaven er fulgt.

ET DUKKEHJEM

SKUESPILL I TRE AKTER

(1879)

PERSONENE

ADVOKAT HELMER
NORA, hans hustru
DOKTOR RANK
FRU LINDE
SAKFØRER KROGSTAD
HELMERS TRE SMÅ BØRN
ANNE-MARIE, barnepike hos Helmers
STUEPIKEN sammesteds
ET BYBUD

(Handlingen foregår i Helmers bolig.)

FØRSTE AKT

(En hyggelig og smakfullt, men ikke kostbart innrettet stue. En dør til høyre i bakgrunnen fører ut til forstuen; en annen dør til venstre i bakgrunnen fører inn til Helmers arbeidsværelse. Mellem begge disse døre et pianoforte. Midt på veggen til venstre en dør og lenger fremme et vindu. Nær ved vinduet et rundt bord med lenestole og en liten sofa. På sideveggen til høyre, noe tilbake, en dør, og på samme vegg, nærmere mot forgrunnen en stentøysovn med et par lenestole og en gyngestol foran. Mellem ovnen og sidedøren et lite bord. Kobberstikk på veggene. En etagère med porselensgjenstande og andre små kunstsaker; et lite bokskap med bøker i praktbind. Teppe på gulvet; ild i ovnen. Vinterdag.)

(Der ringes ute i forstuen; litt efter hører man at der blir lukket opp. N o r a kommer fornøyet nynnende inn i stuen; hun er kledd i yttertøy og bærer en hel del pakker, som hun legger fra seg på bordet til høyre. Hun lar døren til forstuen stå åpen efter seg, og man ser der ute et b y b u d, der bærer en julegran og en kurv, hvilket han gir til s t u e - p i k e n, som har lukket opp for dem.)

NORA. Gjem juletreet godt, Helene. Børnene må endelig ikke få se det før i aften, når det er pyntet. *(til budet; tar portemonéen frem.)* Hvor meget –?

BYBUDET. Femti øre.

NORA. Der er en krone. Nei, behold det hele.

(Budet takker og går. Nora lukker døren. Hun vedblir å le stille fornøyet mens hun tar yttertøyet av.)

NORA *(tar en pose med makroner opp av lommen og spiser et par; derpå går hun forsiktig hen og lytter ved sin manns dør)*. Jo, han er hjemme. *(nynner igjen, idet hun går hen til bordet til høyre.)*

HELMER *(inne i sitt værelse)*. Er det lerkefuglen som kvidrer der ute?

NORA *(i ferd med å åpne noen av pakkene)*. Ja, det er det.

HELMER. Er det ekornet som romsterer der?

NORA. Ja!

HELMER. Når kom ekornet hjem?

NORA. Nu nettopp. *(putter makronposen i lommen og visker seg om munnen)*. Kom her ut, Torvald, så skal du få se hva jeg har kjøpt.

HELMER. Ikke forstyrr! *(litt efter; åpner døren og ser inn, med pennen i hånden.)* Kjøpt, sier du? Alt det der? Har nu lille spillefuglen vært ute og satt penge over styr igjen?

NORA. Ja men, Torvald, i år må vi dog virkelig slå oss litt løs. Det er jo den første jul vi ikke behøver å spare.

HELMER. Å, vet du hva, ødsle kan vi ikke.

NORA. Jo, Torvald, litt kan vi nok ødsle nu. Ikke sant? Bare en liten bitte smule. Nu får du jo en stor gasje og kommer til å tjene mange, mange penge.

HELMER. Ja, fra nyttår av; men så går det et helt fjerdingår før gasjen forfaller.

NORA. Pytt; vi kan jo låne så lenge.

HELMER. Nora! *(går hen til henne og tar henne spøkende i øret)*. Er nu lettsindigheten ute og går igjen? Sett nu jeg lånte tusen kroner i dag, og du satte dem over styr i juleuken, og jeg så nyttårsaften fikk en taksten i hodet og lå der.

NORA *(legger hånden på hans arm)*. Å fy; tal ikke så stygt.

HELMER. Jo, sett nu at slikt hendte, – hva så?

NORA. Hvis der hendte noe så fælt, så kunne det være ganske det samme enten jeg hadde gjeld eller ikke.

HELMER. Nå, men de folk jeg hadde lånt av?

NORA. De? Hvem bryr seg om dem! Det er jo fremmede.

HELMER. Nora, Nora, du est en kvinne! Nei, men alvorlig, Nora; du vet hva jeg tenker i det stykke. Ingen gjeld! Aldri låne! Det kommer noe ufritt, og altså også noe uskjønt, over det hjem som grunnes på lån og gjeld. Nu har vi to holdt tappert ut like til i dag; og det vil vi også gjøre den korte tid det ennu behøves.

NORA *(går hen imot ovnen)*. Ja, ja, som du vil, Torvald.

HELMER *(følger efter)*. Så, så; nu skal ikke lille sanglerken henge med vingene. Hva? Står ekornet der og surmuler. *(tar portemonéen opp.)* Nora; hva tror du jeg har her?

NORA *(vender seg raskt)*. Penge!

HELMER. Se der. *(rekker henne noen sedler.)* Herregud, jeg vet jo nok at der går en hel del til i et hus i juletiden.

NORA *(teller)*. Ti – tyve – tredve – førti. Å takk, takk, Torvald; nu hjelper jeg meg langt.

HELMER. Ja, det må du sannelig gjøre.

NORA. Ja, ja, det skal jeg nok. Men kom her, så skal jeg vise deg alt hva jeg har kjøpt. Og så billig! Se, her er nye klær til Ivar – og så en sabel. Her er en hest og en trompet til Bob. Og her er dukke og dukkeseng til Emmy; det er nu så simpelt; men hun river det jo snart i stykker allikevel. Og her har jeg kjoletøyer og tørklær til pikene; gamle Anne-Marie skulle nu hatt meget mer.

HELMER. Og hva er der i den pakke der?

NORA *(skriker)*. Nei, Torvald, det får du ikke se før i aften!

HELMER. Nå så. Men si meg nu, du lille ødeland, hva har du nu tenkt på til deg selv?

NORA. Å pytt; til meg? Jeg bryr meg slett ikke om noe.

HELMER. Jo visst gjør du så. Si meg nu noe rimelig, som du helst kunne ha lyst til.

NORA. Nei, jeg vet virkelig ikke. Jo hør, Torvald.

HELMER. Nå?

NORA *(famler ved hans knapper; uten å se på ham)*. Hvis du vil gi meg noe, så kunne du jo –; du kunne –

HELMER. Nå, nå; ut med det.

NORA *(hurtig)*. Du kunne gi meg penge, Torvald. Bare så

meget som du synes du kan avse; så skal jeg siden en av dagene kjøpe noe for dem.

HELMER. Nei men, Nora –

NORA. Å jo, gjør det, kjære Torvald; jeg ber deg så meget om det. Så skulle jeg henge pengene i et smukt gullpapirs omslag på juletreet. Ville ikke det være morsomt?

HELMER. Hva er det de fugle kalles som alltid setter penge over styr?

NORA. Ja ja, spillefugle; jeg vet det nok. Men la oss gjøre som jeg sier, Torvald; så får jeg tid til å overlegge hva jeg mest har bruk for. Er ikke det meget fornuftig? Hva?

HELMER *(smilende)*. Jo visst er det så; det vil si, hvis du virkelig kunne holde på de penge jeg gir deg, og virkelig kjøpte noe til deg selv for dem. Men så går de til huset og til så mangt og meget unyttig, og så må jeg punge ut igjen.

NORA. Å men, Torvald –

HELMER. Kan ikke nektes, min kjære lille Nora. *(legger armen om hennes liv.)* Spillefuglen er søt; men den bruker svært mange penge. Det er utrolig hvor kostbart det er for en mann å holde spillefugl.

NORA. Å fy, hvor kan du da si det? Jeg sparer dog virkelig alt hva jeg kan.

HELMER *(ler)*. Ja, det var et sant ord. Alt hva du *kan*. Men du kan slett ikke.

NORA *(nynner og smiler stille fornøyet)*. Hm, du skulle bare vite hvor mange utgifter vi lerker og ekorne har, Torvald.

HELMER. Du er en besynderlig liten en. Ganske som din far var. Du er om deg på alle kanter for å gjøre utvei til penge; men så snart du har dem, blir de liksom borte mellem hendene på deg; du vet aldri hvor du gjør av dem. Nå, man må ta deg som du er. Det ligger i blodet. Jo, jo, jo, slikt er arvelig, Nora.

NORA. Akk, jeg ville ønske jeg hadde arvet mange av pappas egenskaper.

HELMER. Og jeg ville ikke ønske deg annerledes enn nettopp

således som du er, min søte lille sanglerke. Men hør; der faller meg noe inn. Du ser så – så – hva skal jeg kalle det? – så fordektig ut i dag –

NORA. Gjør jeg?

HELMER. Ja visst gjør du det. Se meg stivt i øynene.

NORA *(ser på ham)*. Nå?

HELMER *(truer med fingeren)*. Slikkmunnen skulle vel aldri ha grassert i byen i dag?

NORA. Nei, hvor kan du nu falle på det.

HELMER. Har slikkmunnen virkelig ikke gjort en avstikker inn til konditoren?

NORA. Nei, jeg forsikrer deg, Torvald –

HELMER. Ikke nippet litt syltetøy?

NORA. Nei, aldeles ikke.

HELMER. Ikke en gang gnavet en makron eller to?

NORA. Nei, Torvald, jeg forsikrer deg virkelig –

HELMER. Nå, nå, nå; det er jo naturligvis bare mitt spøk –

NORA *(går til bordet til høyre)*. Jeg kunne da ikke falle på å gjøre deg imot.

HELMER. Nei, jeg vet det jo nok; og du har jo gitt meg ditt ord –. *(hen til henne.)* Nå, behold du dine små julehemmeligheter for deg selv, min velsignede Nora. De kommer vel for lyset i aften når juletreet er tent, kan jeg tro.

NORA. Har du husket på å be doktor Rank.

HELMER. Nei. Men det behøves jo ikke; det følger jo av seg selv at han spiser med oss. Forresten skal jeg be ham når han kommer her i formiddag. God vin har jeg bestilt. Nora, du kan ikke tro hvor jeg gleder meg til i aften.

NORA. Jeg også. Og hvor børnene vil fryde seg, Torvald!

HELMER. Akk, det er dog herlig å tenke på at man har fått en sikker, betrygget stilling; at man har sitt rundelige utkomme. Ikke sant! det er en stor nydelse å tenke på?

NORA. Å, det er vidunderlig!

HELMER. Kan du huske forrige jul? Hele tre uker i forveien lukket du deg hver aften inne til langt over midnatt for å lage blomster til juletreet og alle de andre herligheter som vi skulle overraskes med. Uh, det var den kjedeligste tid jeg har opplevet.

NORA. Da kjedet jeg meg slett ikke.

HELMER *(smilende)*. Men det falt dog temmelig tarvelig ut, Nora.

NORA. Å, skal du nu drille meg med det igjen. Hva kunne jeg for at katten var kommet inn og hadde revet all ting i stykker?

HELMER. Nei visst kunne du ikke, min stakkars lille Nora. Du hadde den beste vilje til å glede oss alle, og det er hovedsaken. Men det er dog godt at de knepne tider er forbi.

NORA. Ja, det er riktignok vidunderlig.

HELMER. Nu behøver ikke jeg å sitte her alene og kjede meg; og du behøver ikke å plage dine velsignede øyne og dine små skjære fine hender –

NORA *(klapper i hendene)*. Nei, ikke sant, Torvald, det behøves ikke lenger? Å, hvor det er vidunderlig deilig å høre! *(tar ham under armen.)* Nu skal jeg si deg hvorledes jeg hadde tenkt vi skulle innrette oss, Torvald. Så snart julen er over – *(det ringer i forstuen.)* Å, der ringer det. *(rydder litt opp i stuen.)* Her kommer visst noen. Det var da kjedelig.

HELMER. For visitter er jeg ikke hjemme; husk det.

STUEPIKEN *(i entrédøren)*. Frue, her er en fremmed dame –

NORA. Ja, la henne komme inn.

STUEPIKEN *(til Helmer)*. Og så kom doktoren med det samme.

HELMER. Gikk han like inn til meg?

STUEPIKEN. Ja, han gjorde så.

(Helmer går inn i sitt værelse. Piken viser fru Linde, som er i reisetøy, inn i stuen og lukker efter henne.)

FRU LINDE *(forsagt og litt nølende)*. God dag, Nora.

NORA *(usikker)*. God dag –

FRU LINDE. Du kjenner meg nok ikke igjen.

NORA. Nei; jeg vet ikke –; jo, visst, jeg synes nok – *(utbrytende.)* Hva! Kristine! Er det virkelig deg?

FRU LINDE. Ja, det er meg.

NORA. Kristine! Og jeg som ikke kjente deg igjen! Men hvor kunne jeg også –. *(saktere.)* Hvor du er blitt forandret, Kristine!

FRU LINDE. Ja, det er jeg visstnok. I ni – ti lange år –

NORA. Er det så lenge siden vi sås? Ja, det er det jo også. Å, de siste åtte år har vært en lykkelig tid, kan du tro. Og nu er du altså kommet her inn til byen? Gjort den lange reise ved vintertid. Det var tappert.

FRU LINDE. Jeg kom nettopp med dampskibet i morges.

NORA. For å more deg i julen, naturligvis. Å, hvor det er deilig! Ja, more oss, det skal vi riktignok. Men ta dog overtøyet av. Du fryser dog vel ikke? *(hjelper henne.)* Se så; nu setter vi oss hyggelig her ved ovnen. Nei, i lenestolen der! Her i gyngestolen vil jeg sitte. *(griper hennes hender.)* Ja, nu har du jo ditt gamle ansikt igjen; det var bare i det første øyeblikk –. Litt blekere er du dog blitt, Kristine, – og kanskje litt magrere.

FRU LINDE. Og meget, meget eldre, Nora.

NORA. Ja, kanskje litt eldre, bitte, bitte litt; slett ikke meget. *(holder plutselig inne, alvorlig.)* Å, men jeg tankeløse menneske, som sitter her og snakker! Søte, velsignede Kristine, kan du tilgi meg!

FRU LINDE. Hva mener du, Nora?

NORA *(sakte)*. Stakkars Kristine, du er jo blitt enke.

FRU LINDE. Ja, for tre år siden.

NORA. Å, jeg visste det nok; jeg leste det jo i avisene. Å, Kristine, du må tro meg, jeg tenkte ofte på å skrive til deg i den tid; men alltid oppsatte jeg det, og alltid kom der noe i veien.

FRU LINDE. Kjære Nora, det forstår jeg så godt.

NORA. Nei, det var stygt av meg, Kristine. Å, du stakkar, hvor meget du visst har gått igjennem. – Og han efterlot deg jo ikke noe å leve av?

FRU LINDE. Nei.

NORA. Og ingen børn?

FRU LINDE. Nei.

NORA. Slett ingen ting altså?

FRU LINDE. Ikke en gang en sorg eller et savn til å tære på.

NORA *(ser vantro på henne)*. Ja men, Kristine, hvor kan det være mulig?

FRU LINDE *(smiler tungt og stryker henne over håret)*. Å, det hender undertiden, Nora.

NORA. Så ganske alene. Hvor det må være forferdelig tungt for deg. Jeg har tre deilige børn. Ja nu kan du ikke få se dem, for de er ute med piken. Men nu må du fortelle meg alt –

FRU LINDE. Nei, nei, nei, fortell heller du.

NORA. Nei, du skal begynne. I dag vil jeg ikke være egenkjærlig. I dag vil jeg tenke bare på dine saker. Men *ett* må jeg dog si deg. Vet du den store lykke som er hendt oss i disse dage?

FRU LINDE. Nei. Hva er *det?*

NORA. Tenk, min mann er blitt direktør i Aksjebanken.

FRU LINDE. Din mann? Å hvilket hell –!

NORA. Ja, umåtelig! Å være advokat, det er jo så usikkert å leve av, især når man ikke vil befatte seg med andre forretninger enn de som er fine og smukke. Og det har naturligvis Torvald aldri villet; og det holder jeg da ganske med ham i. Å, du kan tro vi gleder oss! Han skal tiltre i banken allerede til nyttår, og da får han en stor gasje og mange prosenter. Herefter kan vi leve ganske annerledes enn før, – ganske som vi vil. Å, Kristine, hvor jeg føler meg lett og lykkelig! Ja, for det er dog deilig å ha dyktig mange penge og ikke behøve å gjøre seg bekymringer. Ikke sant?

FRU LINDE. Jo, iallfall måtte det være deilig å ha det nødvendige.

NORA. Nei ikke blott det nødvendige, men dyktig, dyktig mange penge!

FRU LINDE *(smiler)*. Nora, Nora, er du ennu ikke blitt fornuftig? I skoledagene var du en stor ødeland.

NORA *(ler stille)*. Ja, det sier Torvald ennu. *(truer med fingeren.)* Men «Nora, Nora» er ikke så gal som I tenker. – Å, vi har sannelig ikke hatt det så at jeg har kunnet ødsle. Vi har måttet arbeide begge to.

FRU LINDE. Du også?

NORA. Ja, med småting, med håndarbeide, med hekling og med broderi og sånt noe; *(henkastende.)* og med andre ting også. Du vet vel at Torvald gikk ut av departementet da vi ble gift? Der var ingen utsikt til befordring i hans kontor, og så måtte han jo tjene flere penge enn før. Men i det første år overanstrengte han seg så aldeles forferdelig. Han måtte jo søke alskens bifortjeneste, kan du vel tenke deg, og arbeide både tidlig og sent. Men det tålte han ikke, og så ble han så dødelig syk. Så erklærte lægene det for nødvendig at han kom ned til syden.

FRU LINDE. Ja, I oppholdt jer jo et helt år i Italien?

NORA. Ja visst. Det var ikke lett å komme av sted, kan du tro. Ivar var nettopp født den gang. Men av sted måtte vi naturligvis. Å, det var en vidunderlig reise. Og den frelste Torvalds liv. Men den kostet svært mange penge, Kristine.

FRU LINDE. Det kan jeg nok tenke meg.

NORA. Tolv hundre spesier kostet den. Fire tusen åtte hundre kroner. Det er mange penge du.

FRU LINDE. Ja, men i slike tilfelle er det iallfall en stor lykke at man har dem.

NORA. Ja jeg skal si deg, vi fikk dem nu av pappa.

FRU LINDE. Nå sådan. Det var nettopp på den tid din far døde, tror jeg.

NORA. Ja, Kristine, det var nettopp da. Og tenk deg, jeg kunne ikke reise til ham og pleie ham. Jeg gikk jo her og ventet daglig at lille Ivar skulle komme til verden. Og så hadde jeg jo min stakkars dødssyke Torvald å passe. Min kjære snille pappa! Jeg fikk aldri se ham mer, Kristine. Å, det er det tungeste jeg har opplevet siden jeg ble gift.

FRU LINDE. Jeg vet du holdt meget av ham. Men så reiste I altså til Italien?

NORA. Ja; da hadde vi jo pengene; og lægene skyndte på oss. Så reiste vi en måneds tid efter.

FRU LINDE. Og din mann kom aldeles helbredet tilbake?

NORA. Frisk som en fisk!

FRU LINDE. Men – doktoren?

NORA. Hvorledes?

FRU LINDE. Jeg synes piken sa det var doktoren, den herre som kom på samme tid som jeg.

NORA. Ja, det var doktor Rank; men han kommer ikke i sykebesøk; det er vår nærmeste venn, og han ser her innom minst én gang om dagen. Nei, Torvald har aldri hatt en syk time siden. Og børnene er friske og sunne, og jeg også. *(springer opp og klapper i hendene.)* Å Gud, å Gud, Kristine, det er dog vidunderlig deilig å leve og være lykkelig! – – Å, men det er dog avskyelig av meg –; jeg taler jo bare om mine egne saker. *(setter seg på en skammel tett ved henne og legger armene på hennes kne.)* Å, du må ikke være vred på meg! – Si meg, er det virkelig sant at du ikke holdt av din mann? Hvorfor tok du ham da?

FRU LINDE. Min mor levet ennu; og hun var sengeliggende og hjelpeløs. Og så hadde jeg mine to yngre brødre å sørge for. Jeg syntes ikke det var forsvarlig å vise hans tilbud tilbake.

NORA. Nei, nei, det kan du ha rett i. Han var altså rik den gang?

FRU LINDE. Han var ganske velstående, tror jeg. Men det var usikre forretninger, Nora. Da han døde, gikk det hele over styr, og der ble ingenting til overs.

NORA. Og så –?

FRU LINDE. Ja, så måtte jeg slå meg igjennem med en liten handel og en liten skole og hva jeg ellers kunne finne på. De siste tre år har vært som en eneste lang hvileløs arbeidsdag for meg. Nu er den til ende, Nora. Min stakkars mor behøver meg ikke mer, for hun er gått bort. Og guttene heller ikke; de er nu kommet i stillinger og kan sørge for seg selv.

NORA. Hvor du må føle deg lett –

FRU LINDE. Nei, du; bare så usigelig tom. Ingen å leve for mer. *(står urolig opp.)* Derfor holdt jeg det ikke lenger ut der borte i den lille avkrok. Her må det dog være lettere å finne noe som kan legge beslag på en og oppta ens tanker. Kunne jeg bare være så lykkelig å få en fast post, noe kontorarbeide –

NORA. Å, men, Kristine, det er så forferdelig anstrengende; og du ser allerede så anstrengt ut i forveien. Det ville være meget bedre for deg om du kunne komme til et bad.

FRU LINDE *(går henimot vinduet)*. Jeg har ingen pappa, som kan forære meg reisepenge, Nora.

NORA *(reiser seg)*. Å, vær ikke vred på meg!

FRU LINDE *(hen til henne)*. Kjære Nora, vær ikke du vred på meg. Det er det verste ved en stilling som min at den avsetter så megen bitterhet i sinnet. Man har ingen å arbeide for; og dog nødes man til å være om seg på alle kanter. Leve skal man jo; og så blir man egenkjærlig. Da du fortalte meg om den lykkelige forandring i eders stilling – vil du tro det? – jeg gledet meg ikke så meget på dine vegne, som på mine.

NORA. Hvorledes det? Å, jeg forstår det. Du mener Torvald kunne kanskje gjøre noe for deg.

FRU LINDE. Ja, det tenkte jeg meg.

NORA. Det skal han også, Kristine. Overlat det bare til meg; jeg skal innlede det så fint, så fint, – finne på noe elskverdig som han synes riktig godt om. Å, jeg vil så inderlig gjerne være deg til tjeneste.

FRU LINDE. Hvor det er smukt av deg, Nora, at du er så ivrig for min sak, – dobbelt smukt av *deg,* som selv kjenner så lite til livets byrder og besvær.

NORA. Jeg –? Jeg kjenner så lite til –?

FRU LINDE *(smilende)*. Nå, Herregud, den smule håndarbeide og sånt noe –. Du er et barn, Nora.

NORA *(kaster på nakken og går henover gulvet)*. Det skulle du ikke si så overlegent.

FRU LINDE. Så?

NORA. Du er liksom de andre. I tror alle sammen at jeg ikke duger til noe riktig alvorlig –

FRU LINDE. Nå, nå –

NORA. – at jeg ikke har prøvet noe i denne vanskelige verden.

FRU LINDE. Kjære Nora, du har jo nyss fortalt meg alle dine gjenvordigheter.

NORA. Pytt, – de småtterier! *(sakte.)* Jeg har ikke fortalt deg det store.

FRU LINDE. Hvilket store? Hva mener du?

NORA. Du overser meg så ganske, Kristine; men det skulle du ikke gjøre. Du er stolt over at du har arbeidet så tungt og så lenge for din mor.

FRU LINDE. Jeg overser visselig ikke noen. Men *det* er sant: jeg er både stolt og glad når jeg tenker på at det ble meg forunt å gjøre min mors siste levetid så vidt sorgløs.

NORA. Og du er også stolt når du tenker på hva du har gjort for dine brødre.

FRU LINDE. Det synes jeg jeg har rett til.

NORA. Det synes jeg også. Men nu skal du høre noe, Kristine. Jeg har også noe å være stolt og glad over.

FRU LINDE. Det tviler jeg ikke på. Men hvorledes mener du det?

NORA. Tal sakte. Tenk om Torvald hørte det! Han må ikke for noen pris i verden –; der må ingen få det å vite, Kristine; ingen uten du.

FRU LINDE. Men hva er det dog?

NORA. Kom herhen. *(drar henne ned på sofaen ved siden av seg.)* Ja du, – jeg har også noe å være stolt og glad over. Det er meg, som har reddet Torvalds liv.

FRU LINDE. Reddet –? Hvorledes reddet?

NORA. Jeg fortalte deg jo om reisen til Italien. Torvald kunne ikke ha overstått det hvis han ikke var kommet der ned –

FRU LINDE. Nå, ja; din far ga jer så de fornødne penge –

NORA *(smiler)*. Ja, det tror både Torvald og alle andre; men –

FRU LINDE. Men –?

NORA. Pappa ga oss ikke en skilling. Det var meg, som skaffet pengene til veie.

FRU LINDE. Du? Hele den store sum?

NORA. Tolv hundre spesier. Fire tusen åtte hundre kroner. Hva sier du til det?

FRU LINDE. Ja men, Nora, hvorledes var det mulig? Hadde du da vunnet i lotteriet?

NORA *(med ringeakt)*. I lotteriet? *(blåser.)* Hva kunst hadde det *da* vært?

FRU LINDE. Men hvor fikk du dem da fra?

NORA *(nynner og smiler hemmelighetsfullt)*. Hm; tra la la la!

FRU LINDE. For låne dem kunne du jo ikke.

NORA. Så? Hvorfor ikke det?

FRU LINDE. Nei, en kone kan jo ikke låne uten sin manns samtykke.

NORA *(kaster på nakken)*. Å, når det er en kone som har en smule forretningsdyktighet, – en kone som forstår å bære seg litt klokt ad, så –

FRU LINDE. Men, Nora, jeg begriper aldeles ikke –

NORA. Det behøver du jo heller ikke. Det er jo slett ikke sagt at jeg har *lånt* pengene. Jeg kan jo ha fått dem på andre måter. *(kaster seg tilbake i sofaen.)* Jeg kan jo ha fått dem av en eller annen beundrer. Når man ser så vidt tiltrekkende ut som jeg –

FRU LINDE. Du er en galning.

NORA. Nu er du visst umåtelig nysgjerrig, Kristine.

FRU LINDE. Ja hør nu her, kjære Nora, – har du ikke der handlet ubesindig?

NORA *(sitter atter oppreist)*. Er det ubesindig å redde sin manns liv?

FRU LINDE. Jeg synes det er ubesindig at du uten hans vitende –

NORA. Men han måtte jo nettopp ikke vite noe! Herregud,

kan du ikke forstå det? Han måtte ikke en gang vite hvor farlig det sto til med ham. Det var til meg lægene kom og sa at hans liv sto i fare; at intet annet kunne redde ham enn et opphold i syden. Tror du ikke jeg først forsøkte å lirke meg frem? Jeg talte til ham om hvor deilig det ville være for meg å få reise til utlandet liksom andre unge koner; jeg både gråt og jeg ba; jeg sa at han værs'god skulle huske på de omstendigheter jeg var i, og at han måtte være snill og føye meg; og så slo jeg på at han gjerne kunne oppta et lån. Men da ble han nesten vred, Kristine. Han sa at jeg var lettsindig, og at det var hans plikt som ektemann ikke å føye meg i nykker og luner – som jeg tror han kalte det. Ja ja, tenkte jeg, reddes må du nu; og så var det jeg gjorde utvei –

FRU LINDE. Og fikk din mann ikke vite av din far at pengene ikke kom fra ham?

NORA. Nei, aldri. Pappa døde nettopp i de samme dage. Jeg hadde tenkt å innvie ham i saken og be ham ikke røbe noe. Men da han lå så syk –. Dessverre, det ble ikke nødvendig.

FRU LINDE. Og har du aldri siden betrodd deg til din mann?

NORA. Nei, for himmelens skyld, hvor kan du tenke det? Han, som er så streng i det stykke! Og dessuten – Torvald med sin mandige selvfølelse, – hvor pinlig og ydmykende ville det ikke være for ham å vite at han skyldte meg noe. Det ville ganske forrykke forholdet imellem oss; vårt skjønne lykkelige hjem ville ikke lenger bli hva det nu er.

FRU LINDE. Vil du aldri si ham det?

NORA *(eftertenksom, halvt smilende)*. Jo – en gang kanskje; – om mange år når jeg ikke lenger er så smukk som nu. Du skal ikke le av det! Jeg mener naturligvis: når Torvald ikke lenger synes så godt om meg som nu; når han ikke lenger finner fornøyelse i at jeg danser for ham og forkler meg og deklamerer. Da kunne det være godt å ha noe i bakhånden – *(avbrytende.)* Vås, vås, vås! Den tid kommer aldri. – Nå, hva sier du så til min store hemmelighet, Kristine? Duer ikke jeg også til noe? – Du kan forresten tro at den sak har voldt meg mange bekymringer. Det har sannelig ikke vært lett for meg å oppfylle mine forpliktelser til rette tid. Jeg skal si deg, der er i forretningsverdenen noe som kalles kvartalsrenter, og noe som kalles avdrag; og de er alltid så forferdelig vanskelige å skaffe til veie. Så har jeg måttet spare litt hist og her hvor jeg kunne, ser du. Av husholdningspengene kunne jeg jo ikke legge noe videre til side, for Torvald måtte jo leve godt. Børnene kunne jeg jo ikke la gå dårlig kledd; hva jeg fikk til dem, syntes jeg jeg måtte bruke alt sammen. De søte velsignede små!

FRU LINDE. Så gikk det vel altså ut over dine egne fornødenheter, stakkars Nora?

NORA. Ja naturligvis. Jeg var jo også den som var nærmest til det. Hver gang Torvald ga meg penge til nye kjoler og sånt noe, brukte jeg aldri mer enn det halve; kjøpte alltid de simpleste og billigste sorter. En Guds lykke var det at all ting kler meg så godt, så Torvald ikke merket det. Men det falt meg mangen gang tungt, Kristine; for det er dog deilig å gå fint kledd. Ikke sant?

FRU LINDE. Å jo så menn.

NORA. Nå, så har jeg jo også hatt andre inntektskilder. I fjor vinter var jeg så heldig å få en hel del arkskrift. Så lukket jeg meg inne og satt og skrev hver aften til langt ut på natten. Akk, jeg var mangen gang så trett, så trett. Men det var dog uhyre morsomt allikevel, således å sitte og arbeide og fortjene penge. Det var nesten som om jeg var en mann.

FRU LINDE. Men hvor meget har du nu på den vis kunnet avbetale?

NORA. Ja, det kan jeg ikke si så nøye. Sånne forretninger, ser du, er det meget vanskelig å holde rede på. Jeg vet kun at jeg har betalt alt hva jeg har kunnet skrape sammen. Mangen gang har jeg ikke visst min arme råd. *(smiler.)*

Da satt jeg her og forestillet meg at en gammel rik herre var blitt forelsket i meg –

FRU LINDE. Hva! Hvilken herre?

NORA. Å snakk! – at han nu var død, og da man åpnet hans testamente, så sto deri med store bokstaver «Alle mine penge skal den elskverdige fru Nora Helmer ha utbetalt straks kontant».

FRU LINDE. Men kjære Nora, – hva var det for en herre?

NORA. Herregud, kan du ikke forstå det? Den gamle herre var jo slett ikke til; det var bare noe jeg satt her og tenkte opp igjen og opp igjen når jeg ikke visste utvei til å skaffe penge. Men det kan også være det samme; det gamle kjedelige menneske kan bli for meg hvor han er; jeg bryr meg hverken om ham eller hans testamente, for nu er jeg sorgløs. *(springer opp.)* Å Gud, det er dog deilig å tenke på, Kristine! Sorgløs! Å kunne være sorgløs, ganske sorgløs! å kunne leke og tumle seg med børnene; å kunne ha det smukt og nydelig i huset, all ting således som Torvald setter pris på det! Og tenk, så kommer snart våren med stor blå luft. Så kan vi kanskje få reise litt. Jeg kan kanskje få se havet igjen. Å ja, ja, det er riktignok vidunderlig å leve og være lykkelig!

(Klokken høres i forstuen.)

FRU LINDE *(reiser seg)*. Det ringer; det er kanskje best jeg går.

NORA. Nei, bli du; her kommer visst ingen; det er vel til Torvald –

STUEPIKEN *(i forstuedøren)*. Om forlatelse, frue, – her er en herre som vil tale med advokaten –

NORA. Med bankdirektøren, mener du.

STUEPIKEN. Ja, med bankdirektøren; men jeg visste ikke – siden doktoren er der inne –

NORA. Hvem er den herre?

SAKFØRER KROGSTAD *(i forstuedøren)*. Det er meg, frue.

FRU LINDE *(stusser, farer sammen og vender seg mot vinduet)*.

NORA *(et skritt imot ham, spent, med halv stemme)*. De? Hva er det? Hva vil De tale med min mann om?

KROGSTAD. Banksaker – på en måte. Jeg har en liten post i Aksjebanken, og Deres mann skal jo nu bli vår sjef, hører jeg –

NORA. Det er altså –

KROGSTAD. Bare tørre forretninger, frue; slett ikke noe annet.

NORA. Ja, vil De da være så god å gå inn kontordøren. *(hilser likegyldig, idet hun lukker døren til forstuen; derpå går hun hen og ser til ovnen.)*

FRU LINDE. Nora, – hvem var den mann?

NORA. Det var en sakfører Krogstad.

FRU LINDE. Det var altså virkelig ham.

NORA. Kjenner du det menneske?

FRU LINDE. Jeg har kjent ham – for en del år siden. Han var en tid sakførerfullmektig henne på vår kant.

NORA. Ja, det var han jo.

FRU LINDE. Hvor han var forandret.

NORA. Han har nok vært meget ulykkelig gift.

FRU LINDE. Nu er han jo enkemann?

NORA. Med mange børn. Se så; nu brenner det. *(hun lukker ovnsdøren og flytter gyngestolen litt til side.)*

FRU LINDE. Han driver jo mange slags forretninger, sies det?

NORA. Så? Ja det kan gjerne være; jeg vet slett ikke –. Men la oss ikke tenke på forretninger; det er så kjedelig.

(Doktor Rank kommer fra Helmers værelse.)

DOKTOR RANK *(ennu i døren)*. Nei nei, du; jeg vil ikke forstyrre; jeg vil heller gå litt inn til din hustru. *(lukker døren og bemerker fru Linde.)* Å om forlatelse; jeg forstyrrer nok her også.

NORA. Nei, på ingen måte. *(forestiller.)* Doktor Rank. Fru Linde.

RANK. Nå så. Et navn, som ofte høres her i huset. Jeg tror jeg gikk fruen forbi på trappen da jeg kom.

FRU LINDE. Ja; jeg stiger meget langsomt; jeg kan ikke godt tåle det.

RANK. Aha, en liten smule bedervet innvendig?

FRU LINDE. Egentlig mer overanstrengt.

RANK. Ikke annet? Så er De vel kommet til byen for å hvile Dem ut i alle gjestebudene?

FRU LINDE. Jeg er kommet hit for å søke arbeide.

RANK. Skal det være noe probat middel imot overanstrengelse?

FRU LINDE. Man må leve, herr doktor.

RANK. Ja, det er jo en alminnelig mening at det skal være så nødvendig.

NORA. Å vet De hva, doktor Rank, – De vil så menn også gjerne leve.

RANK. Ja så menn vil jeg så. Så elendig jeg enn er, vil jeg dog gjerne bli ved å pines i det lengste. Alle mine pasienter har det på samme vis. Og således er det med de moralsk angrepne også. Det er nu nettopp i dette øyeblikk et slikt moralsk hospitalslem inne hos Helmer –

FRU LINDE *(dempet)*. Ah!

NORA. Hvem mener De?

RANK. Å, det er en sakfører Krogstad, et menneske som De ikke kjenner noe til. Han er bedervet i karakterrøttene, frue. Men selv han begynte å snakke om, som noe høyviktig, at han måtte *leve.*

NORA. Så? Hva var det han ville tale med Torvald om?

RANK. Jeg vet sannelig ikke; jeg hørte blott det var noe om Aksjebanken.

NORA. Jeg visst ikke at Krog – at denne sakfører Krogstad hadde noe med Aksjebanken å gjøre.

RANK. Jo, han har fått et slags ansettelse der nede. *(til fru Linde.)* Jeg vet ikke om man også borte på Deres kanter har et slags mennesker som vimser hesblesende omkring for å oppsnuse moralsk råttenskap og så få vedkommende innlagt til observasjon i en eller annen fordelaktig stilling. De sunne må pent finne seg i å stå utenfor.

FRU LINDE. Det er dog vel også de syke som mest trenger til å lukkes inn.

RANK *(trekker på skuldrene)*. Ja, der har vi det. Det er den betraktning som gjør samfunnet til et sykehus.

NORA *(i sine egne tanker, brister ut i en halvhøy latter og klapper i hendene)*.

RANK. Hvorfor ler De av det? Vet De egentlig hva samfunnet er?

NORA. Hva bryr jeg meg om det kjedelige samfunn? Jeg lo av noe ganske annet. – noe uhyre morsomt. – Si meg, doktor Rank, – alle de som er ansatte i Aksjebanken, blir altså nu avhengige av Torvald?

RANK. Er det *det* De finner så uhyre morsomt?

NORA *(smiler og nynner)*. La meg om det! La meg om det! *(spaserer omkring på gulvet.)* Ja det er riktignok umåtelig fornøyelig å tenke på at vi – at Torvald har fått så megen innflytelse på mange mennesker. *(tar posen opp av lommen.)* Doktor Rank, skal det være en liten makron?

RANK. Se, se; makroner. Jeg trodde det var forbudne varer her.

NORA. Ja, men disse er noen som Kristine ga meg.

FRU LINDE. Hva? Jeg –?

NORA. Nå, nå, nå; bli ikke forskrekket. Du kunne jo ikke vite at Torvald hadde forbudt det. Jeg skal si deg han er bange jeg skal få stygge tenner av dem. Men pytt, – for en gangs skyld –! Ikke sant, doktor Rank? Vær så god! *(putter ham en makron i munnen.)* Og du også, Kristine. Og jeg skal også ha en; bare en liten en – eller høyst to. *(spaserer igjen.)* Ja nu er jeg riktignok umåtelig lykkelig. Nu er det bare en eneste ting i verden som jeg skulle ha en sånn umåtelig lyst til.

RANK. Nå? Og hva er det?

NORA. Der er noe som jeg hadde en så umåtelig lyst til å si så Torvald hørte på det.

RANK. Og hvorfor kan De så ikke si det?

NORA. Nei, det tør jeg ikke, for det er så stygt.

FRU LINDE. Stygt?

RANK. Ja, da er det ikke rådelig. Men til oss kan De jo

nok –. Hva er det De har sånn lyst til å si så Helmer hører på det?

NORA. Jeg har en sånn umåtelig lyst til å si: død og pine.

RANK. Er De gal!

FRU LINDE. Men bevares, Nora –!

RANK. Si det. Der er han.

NORA *(gjemmer makronposen)*. Hyss, hyss, hyss!

(H e l m e r, med overfrakke på armen og hatt i hånden, kommer fra sitt værelse.)

NORA *(imot ham)*. Nå, kjære Torvald, ble du av med ham?

HELMER. Ja, nu gikk han.

NORA. Må jeg forestille deg –; det er Kristine som er kommet til byen.

HELMER. Kristine –? Om forlatelse, men jeg vet ikke –

NORA. Fru Linde, kjære Torvald; fru Kristine Linde.

HELMER. Ah så. Formodentlig en barndomsvenninne av min hustru?

FRU LINDE. Ja vi har kjent hinannen i tidligere dage.

NORA. Og tenk, nu har hun gjort den lange reise her inn for å få tale med deg.

HELMER. Hva skal det si?

FRU LINDE. Ja ikke egentlig –

NORA. Kristine er nemlig umåtelig flink i kontorarbeide, og så har hun en sånn uhyre lyst til å komme under en dyktig manns ledelse og lære mer enn det hun alt kan –

HELMER. Meget fornuftig, frue.

NORA. Og da hun hørte at du var blitt bankdirektør – der kom telegram om det – så reiste hun så fort hun kunne her inn og –. Ikke sant, Torvald, du kan nok for min skyld gjøre litt for Kristine? Hva?

HELMER. Jo det var slett ikke umulig. Fruen er formodentlig enke?

FRU LINDE. Ja.

HELMER. Og har øvelse i kontorforretninger?

FRU LINDE. Ja så temmelig.

HELMER. Nå, da er det høyst rimelig at jeg kan skaffe Dem en ansettelse –

NORA *(klapper i hendene)*. Ser du; ser du!

HELMER. De er kommet i et heldig øyeblikk, frue –

FRU LINDE. Å, hvorledes skal jeg takke Dem –?

HELMER. Behøves slett ikke. *(trekker ytterfrakken på.)* Men i dag må De ha meg unnskyldt –

RANK. Vent; jeg går med deg. *(henter sin pels i entréen og varmer den ved ovnen.)*

NORA. Bli ikke lenge ute, kjære Torvald.

HELMER. En times tid; ikke mer.

NORA. Går du også, Kristine?

FRU LINDE *(tar yttertøyet på)*. Ja, nu må jeg ut og se meg om efter et værelse.

HELMER. Så går vi kanskje ned over gaten sammen.

NORA *(hjelper henne)*. Hvor kjedelig at vi skal bo så innskrenket; men det er oss umulig å –

FRU LINDE. Å, hva tenker du på! Farvel kjære Nora, og takk for alt.

NORA. Farvel så lenge. Ja, i aften kommer du naturligvis igjen. Og De også, doktor Rank. Hva? Om De blir så bra? Å jo så menn gjør De så; pakk Dem bare godt inn.

(Man går under alminnelig samtale ut i entréen. Der høres børnestemmer utenfor på trappen.)

NORA. Der er de! Der er de!

(Hun løper hen og lukker opp. Barnepiken Anne-Marie kommer med børnene.)

NORA. Kom inn; kom inn! *(bøyer seg ned og kysser dem.)* Å I søte, velsignede –! Ser du dem, Kristine? Er de ikke deilige!

RANK. Ikke passiar her i luftdraget!

HELMER. Kom, fru Linde; nu blir her ikke utholdelig for andre enn mødre.

(Doktor Rank, Helmer og fru Linde går nedover trappene. Barnepiken går inn i stuen med børnene. Nora likeledes, idet hun lukker døren til forstuen.)

NORA. Hvor friske og kjekke I ser ut. Nei, for røde kinner I har fått. Som epler og roser. *(børnene taler i munnen på henne under det følgende.)* Har I moret jer så godt? Det var jo prektig. Ja så; du har trukket både Emmy og Bob på kjelken? Nei tenk, på en gang! Ja, du er en flink gutt, Ivar. Å, la meg holde henne litt, Anne-Marie. Mitt søte lille dukkebarn! *(tar den minste fra barnepiken og danser med henne.)* Ja, ja, mamma skal danse med Bob også. Hva? Har I kastet sneball? Å, der skulle jeg ha vært med! Nei, ikke det; jeg vil selv kle dem av, Anne-Marie. Å jo, la meg få lov; det er så morsomt. Gå inn så lenge; du ser så forfrossen ut. Der står varm kaffe til deg på ovnen.

(Barnepiken går inn i værelset til venstre. Nora tar børnenes yttertøy av og kaster det omkring, idet hun lar dem fortelle i munnen på hverandre.)

NORA. Ja så? Så der var en stor hund som løp efter jer? Men den bet ikke? Nei, hundene biter ikke små deilige dukkebørn. Ikke se i pakkene, Ivar! Hva det er? Ja, det skulle I bare vite. Å nei, nei; det er noe fælt noe. Så? Skal vi leke? Hva skal vi leke? Gjemmespill. Ja, la oss leke gjemmespill. Bob skal gjemme seg først. Skal jeg? Ja, la meg gjemme meg først.

(Hun og børnene leker under latter og jubel i stuen og i det tilstøtende værelse til høyre. Til sist gjemmer Nora seg under bordet; børnene kommer stormende inn, søker, men kan ikke finne henne, hører hennes dempede latter, styrter hen til bordet, løfter teppet opp, ser henne. Stormende jubel. Hun kryper frem som for å skremme dem. Ny jubel. Det har imidlertid banket på inngangsdøren; ingen har lagt merke til det. Nu åpnes døren halvt, og sakfører Krogstad kommer til syne; han venter litt; leken fortsettes.)

KROGSTAD. Om forlatelse, fru Helmer –

NORA *(med et dempet skrik, vender seg og springer halvt i været.)* Ah! Hva vil De?

KROGSTAD. Unnskyld; ytterdøren sto på klem; der må noen ha glemt å lukke den –

NORA *(reiser seg)*. Min mann er ikke hjemme, herr Krogstad.

KROGSTAD. Jeg vet det.

NORA. Ja – hva vil De så her?

KROGSTAD. Tale et ord med Dem.

NORA. Med –? *(til børnene, sakte.)* Gå inn til Anne-Marie. Hva? Nei, den fremmede mann vil ikke gjøre mamma noe ondt. Når han er gått, skal vi leke igjen. *(hun fører børnene inn i værelset til venstre og lukker døren efter dem.)*

NORA *(urolig, spent)*. De vil tale med meg?

KROGSTAD. Ja, jeg vil det.

NORA. I dag –? Men vi har jo ennu ikke den første i måneden –

KROGSTAD. Nei, vi har julaften. Det vil komme an på Dem selv hva juleglede De får.

NORA. Hva er det De vil? Jeg kan aldeles ikke i dag –

KROGSTAD. Det skal vi inntil videre ikke snakke om. Det er noe annet. De har dog vel tid et øyeblikk?

NORA. Å ja; ja visst, det har jeg nok, enskjønt –

KROGSTAD. Godt. Jeg satt inne på Olsens restaurasjon og så Deres mann gå nedover gaten –

NORA. Ja vel.

KROGSTAD. – med en dame.

NORA. Og hva så?

KROGSTAD. Måtte jeg være så fri å spørre; var ikke den dame en fru Linde?

NORA. Jo.

KROGSTAD. Nettopp kommet til byen?

NORA. Ja, i dag.

KROGSTAD. Hun er jo en god venninne av Dem?

NORA. Jo, det er hun. Men jeg innser ikke –

KROGSTAD. Jeg har også kjent henne en gang.

NORA. Det vet jeg.

KROGSTAD. Så? De har rede på den sak. Det tenkte jeg nok. Ja, må jeg så spørre Dem kort og godt: skal fru Linde ha noen ansettelse i Aksjebanken?

NORA. Hvor kan De tillate Dem å utspørre *meg*, herr Krogstad, *De*, en av min manns underordnede? Men siden De spør, så skal De få vite det: Ja, fru Linde skal ha en ansettelse. Og det er meg som har talt hennes sak, herr Krogstad. Nu vet De det.

KROGSTAD. Jeg hadde altså lagt riktig sammen.

NORA *(går opp og ned ad gulvet)*. Å, man har dog vel alltid en smule innflytelse, skulle jeg tro. Fordi om man er en kvinne, er det slett ikke derfor sagt at –. Når man står i et underordnet forhold, herr Krogstad, så burde man virkelig vokte seg for å støte noen som – hm –

KROGSTAD. – som har innflytelse?

NORA. Ja nettopp.

KROGSTAD *(skifter tone)*. Fru Helmer, vil De være av den godhet å anvende Deres innflytelse til fordel for meg.

NORA. Hva nu? Hva mener De?

KROGSTAD. Vil De være så god å sørge for at jeg beholder min underordnede stilling i banken.

NORA. Hva skal det si? Hvem tenker på å ta Deres stilling fra Dem?

KROGSTAD. Å, De behøver ikke å spille den uvitende like overfor meg. Jeg skjønner godt at det ikke kan være Deres venninne behagelig å utsette seg for å støte sammen med meg; og jeg skjønner nu også hvem jeg kan takke for at jeg skal jages vekk.

NORA. Men jeg forsikrer Dem –

KROGSTAD. Ja, ja, ja, kort og godt: det er ennu tid, og jeg rår Dem at De anvender Deres innflytelse for å forhindre det.

NORA. Men, herr Krogstad, jeg *har* aldeles ingen innflytelse.

KROGSTAD. Ikke det? Jeg syntes De nylig selv sa –

NORA. Det var naturligvis ikke således å forstå. Jeg! Hvor kan De tro at jeg har noen sånn innflytelse på min mann?

KROGSTAD. Å, jeg kjenner Deres mann fra studenterdagene. Jeg tenker ikke herr bankdirektøren er fastere enn andre ektemenn.

NORA. Taler De ringeaktende om min mann, så viser jeg Dem døren.

KROGSTAD. Fruen er modig.

NORA. Jeg er ikke bange for Dem lenger. Når nyttår er over, skal jeg snart være ute av det hele.

KROGSTAD *(mer behersket)*. Hør meg nu, frue. Hvis det blir nødvendig, så kommer jeg til å kjempe liksom på livet for å beholde min lille post i banken.

NORA. Ja, det later virkelig til.

KROGSTAD. Det er ikke bare for inntektens skyld; den er det meg ennogså minst om å gjøre. Men der er noe annet –. Nå ja, ut med det! Det er dette her, ser De. De vet naturligvis like så godt som alle andre at jeg en gang for en del år siden har gjort meg skyldig i en ubesindighet.

NORA. Jeg tror jeg har hørt om noe sånt.

KROGSTAD. Saken kom ikke for retten; men alle veie ble liksom stengt for meg med det samme. Så slo jeg inn på de forretninger som De jo vet. Noe måtte jeg jo gripe til; og jeg tør si jeg har ikke vært blant de verste. Men nu må jeg ut av alt dette. Mine sønner vokser til; for deres skyld må jeg se å skaffe meg tilbake så megen borgerlig aktelse som mulig. Denne post i banken var liksom det første trappetrinn for meg. Og nu vil Deres mann sparke meg vekk fra trappen, så jeg kommer til å stå nede i sølen igjen.

NORA. Men for Guds skyld, herr Krogstad, det står aldeles ikke i min makt å hjelpe Dem.

KROGSTAD. Det er fordi De ikke har vilje til det; men jeg har midler til å tvinge Dem.

NORA. De vil dog vel ikke fortelle min mann at jeg skylder Dem penge?

KROGSTAD. Hm; hvis jeg nu fortalte ham det?

NORA. Det ville være skammelig handlet av Dem. *(med gråten i halsen)*. Denne hemmelighet, som er min glede og min stolthet, den skulle han få vite, på en så stygg og plump måte, – få vite den av *Dem*. De vil utsette meg for de frykteligste ubehageligheter –

KROGSTAD. Bare ubehageligheter?

NORA *(heftig)*. Men gjør De det kun; det blir verst for Dem selv; for da får min mann riktig se hvilket slett menneske De er, og da får De nu aldeles ikke beholde posten.

KROGSTAD. Jeg spurte om det bare var huslige ubehageligheter De var bange for?

NORA. Får min mann det å vite, så vil han naturligvis straks betale hva der står til rest; og så har vi ikke mer med Dem å skaffe.

KROGSTAD *(et skritt nærmere)*. Hør, fru Helmer; – enten har De ikke noen sterk hukommelse, eller også har De ikke videre skjønn på forretninger. Jeg får nok sette Dem litt grundigere inn i saken.

NORA. Hvorledes det?

KROGSTAD. Da Deres mann var syk, kom De til meg for å få låne tolv hundre spesier.

NORA. Jeg visste ingen annen.

KROGSTAD. Jeg lovet da å skaffe Dem beløpet –

NORA. De skaffet det jo også.

KROGSTAD. Jeg lovet å skaffe Dem beløpet på visse betingelser. De var den gang så opptatt av Deres manns sykdom, og så ivrig for å få reisepenge, at jeg tror De ikke hadde videre tanke for alle biomstendighetene. Det er derfor ikke av veien å minne Dem om dette. Nå; jeg lovet å skaffe Dem pengene mot et gjeldsbevis, som jeg avfattet.

NORA. Ja, og som jeg underskrev.

KROGSTAD. Godt. Men nedenunder tilføyet jeg noen linjer, hvori Deres far innesto for gjelden. Disse linjer skulle Deres far underskrive.

NORA. Skulle –? Han underskrev jo.

KROGSTAD. Jeg hadde satt datum in blanco; det vil si, Deres far skulle selv anføre på hvilken dag han underskrev papiret. Husker fruen det?

NORA. Ja jeg tror nok –

KROGSTAD. Jeg overga Dem derpå gjeldsbeviset, for at De skulle sende det i posten til Deres far. Var det ikke så?

NORA. Jo.

KROGSTAD. Og det gjorde De naturligvis også straks; for allerede en fem – seks dage efter brakte De meg beviset med Deres fars underskrift. Så fikk De da beløpet utbetalt.

NORA. Nu ja; har jeg ikke avbetalt ordentlig?

KROGSTAD. Så temmelig, jo. Men – for å komme tilbake til det vi talte om, – det var nok en tung tid for Dem den gang, frue?

NORA. Ja det var det.

KROGSTAD. Deres far lå nok meget syk, tror jeg.

NORA. Han lå på sitt ytterste.

KROGSTAD. Døde nok kort efter?

NORA. Ja.

KROGSTAD. Si meg, fru Helmer, skulle De tilfeldigvis huske Deres fars dødsdag? Hva dag i måneden, mener jeg.

NORA. Pappa døde den 29. september.

KROGSTAD. Det er ganske riktig; det har jeg erkyndiget meg om. Og derfor er der en besynderlighet, *(tar et papir frem)* som jeg slett ikke kan forklare meg.

NORA. Hvilken besynderlighet? Jeg vet ikke –

KROGSTAD. Det er den besynderlighet, frue, at Deres far har underskrevet dette gjeldsbevis tre dage efter sin død.

NORA. Hvorledes? Jeg forstår ikke –

KROGSTAD. Deres far døde den 29. september. Men se her. Her har Deres far datert sin underskrift den 2. oktober. Er det ikke besynderlig, frue?

NORA *(tier)*.

KROGSTAD. Kan De forklare meg det?

NORA *(tier fremdeles)*.

KROGSTAD. Påfallende er det også at ordene 2. oktober og årstallet ikke er skrevet med Deres fars håndskrift, men med en håndskrift som jeg synes jeg skulle kjenne. Nå, det lar seg jo forklare; Deres far kan ha glemt å datere sin underskrift, og så har en eller annen gjort det på måfå her, forinnen man ennu visste om dødsfallet. Der er ikke noe ondt i det. Det er navnets underskrift det kommer an på. Og *den* er jo ekte, fru Helmer? Det er jo virkelig Deres far som selv har skrevet sitt navn her?

NORA *(efter en kort taushet, kaster hodet tilbake og ser trossig på ham).* Nei, det er ikke. Det er *meg* som har skrevet pappas navn.

KROGSTAD. Hør, frue, – vet De vel at dette er en farlig tilståelse?

NORA. Hvorfor det? De skal snart få Deres penge.

KROGSTAD. Må jeg gjøre Dem et spørsmål, – hvorfor sendte De ikke papiret til Deres far?

NORA. Det var umulig. Pappa lå jo syk. Hvis jeg skulle ha bedt om hans underskrift, så måtte jeg også sagt ham hva pengene skulle brukes til. Men jeg kunne jo ikke si ham, så syk som han var, at min manns liv sto i fare. Det var jo umulig.

KROGSTAD. Så hadde det vært bedre for Dem om De hadde oppgitt den utenlandsreise.

NORA. Nei, det var umulig. Den reise skulle jo redde min manns liv. Den kunne jeg ikke oppgi.

KROGSTAD. Men tenkte De da ikke på at det var et bedrageri imot meg –?

NORA. Det kunne jeg aldeles ikke ta noe hensyn til. Jeg brød meg slett ikke om Dem. Jeg kunne ikke utså Dem for alle de kolde vanskeligheter De gjorde, skjønt De visste hvor farlig det sto til med min mann.

KROGSTAD. Fru Helmer, De har åpenbart ikke noen klar forestilling om hva det egentlig er for noe De har gjort Dem skyldig i. Men jeg kan fortelle Dem at det var hverken noe mer eller noe verre, det jeg en gang begikk, og som ødela hele min borgerlige stilling.

NORA. De? Vil De bille meg inn at De skulle ha foretatt Dem noe modig for å redde Deres hustrus liv?

KROGSTAD. Lovene spør ikke om beveggrunne.

NORA. Da må det være noen meget dårlige love.

KROGSTAD. Dårlige eller ikke, – fremlegger jeg dette papir i retten, så blir De dømt efter lovene.

NORA. Det tror jeg aldeles ikke. En datter skulle ikke ha rett til å skåne sin gamle dødssyke far for engstelser og bekymringer? Skulle ikke en hustru ha rett til å redde sin manns liv? Jeg kjenner ikke lovene så nøye; men jeg er viss på at der må stå etsteds i dem at sånt er tillatt. Og det vet ikke De beskjed om, De, som er sakfører? De må være en dårlig jurist, herr Krogstad.

KROGSTAD. Kan så være. Men forretninger, – slike forretninger som vi to har med hinannen, – dem tror De dog vel jeg forstår meg på? Godt. Gjør nu hva De lyster. Men *det* sier jeg Dem: blir jeg utstøtt for annen gang, så skal De gjøre meg selskap.

(Han hilser og går ut gjennem forstuen.)

NORA *(en stund eftertenksom, kaster med nakken)*. Å hva! – Å ville gjøre meg bange! Så enfoldig er jeg da ikke. *(gir seg i ferd med å legge børnenes tøy sammen; holder snart opp.)* Men –? – – Nei, men det er jo umulig! Jeg gjorde det jo av kjærlighet.

BØRNENE *(i døren til venstre)*. Mamma, nu gikk den fremmede mann ut igjennem porten.

NORA. Ja, ja, jeg vet det. Men tal ikke til noen om den fremmede mann. Hører I det? Ikke til pappa heller!

BØRNENE. Nei, mamma; men vil du så leke igjen?

NORA. Nei, nei; ikke nu.

BØRNENE. Å men, mamma, du lovet det jo.

NORA. Ja, men jeg kan ikke nu. Gå inn; jeg har så meget å gjøre. Gå inn; gå inn, kjære, søte børn. *(hun nøder dem varsomt inn i værelset og lukker døren efter dem.)*

NORA *(setter seg på sofaen, tar et broderi og gjør noen sting, men går snart i stå)*. Nei! *(kaster broderiet, reiser seg, går til forstuen og roper ut:)* Helene! La meg få treet inn. *(går til bordet til venstre og åpner bordskuffen; stanser atter.)* Nei, men det er jo aldeles umulig!

STUEPIKEN *(med grantreet)*. Hvor skal jeg sette det, frue?

NORA. Der; midt på gulvet.

STUEPIKEN. Skal jeg ellers hente noe?

NORA. Nei, takk; jeg har hva jeg behøver.

(Piken, der har satt treet fra seg, går ut igjen.)

NORA *(i ferd med å pynte juletreet).* Her skal lys – og her skal blomster. – Det avskyelige menneske! Snakk, snakk, snakk! Det er ingen ting i veien. Juletreet skal bli deilig. Jeg vil gjøre alt hva du har lyst til Torvald; – jeg skal synge for deg, danse for deg –

(Helmer, med en pakke papirer under armen, kommer utenfra.)

NORA. Ah, – kommer du alt igjen?

HELMER. Ja. Har her vært noen?

NORA. Her? Nei.

HELMER. Det var besynderlig. Jeg så Krogstad gå ut av porten.

NORA. Så? Å ja, det er sant, Krogstad var her et øyeblikk.

HELMER. Nora, jeg kan se det på deg, han har vært her og bedt deg legge et godt ord inn for ham.

NORA. Ja.

HELMER. Og det skulle du gjøre liksom av egen drift? Du skulle fortie for meg at han hadde vært her. Ba han ikke om det også?

NORA. Jo, Torvald; men –

HELMER. Nora, Nora, og det kunne du innlate deg på? Føre samtale med et slikt menneske, og gi ham løfte på noe! Og så ovenikjøpet si meg en usannhet!

NORA. En usannhet –?

HELMER. Sa du ikke at her ingen hadde vært? *(truer med fingeren.)* Det må aldri min lille sangfugl gjøre mer. En sangfugl må ha rent nebb å kvidre med; aldri falske toner. *(tar henne om livet.)* Er det ikke så det skal være? Jo, det visste jeg nok. *(slipper henne.)* Og så ikke mer om det. *(setter seg foran ovnen.)* Ah, hvor her er lunt og hyggelig. *(blar litt i sine papirer.)*

NORA *(beskjeftiget med juletreet, efter et kort opphold.)* Torvald!

HELMER. Ja.

NORA. Jeg gleder meg så umåtelig til kostymeballet hos Stenborgs i overmorgen.

HELMER. Og jeg er umåtelig nysgjerrig efter å se hva du vil overraske meg med.

NORA. Akk, det dumme innfall.

HELMER. Nå?

NORA. Jeg kan ikke finne på noe som duer; alt sammen blir så tåpelig, så intetsigende.

HELMER. Er lille Nora kommet til *den* erkjennelse?

NORA *(bak hans stol, med armene på stolryggen)*. Har du meget travelt, Torvald?

HELMER. Å –

NORA. Hva er det for papirer?

HELMER. Banksaker.

NORA. Allerede?

HELMER. Jeg har latt den avtredende bestyrelse gi meg fullmakt til å foreta de fornødne forandringer i personalet og i forretningsplanen. Det må jeg bruke juleuken til. Jeg vil ha alt i orden til nyttår.

NORA. Det var altså derfor at denne stakkars Krogstad –

HELMER. Hm.

NORA *(fremdeles lenet til stolryggen, purrer langsomt i hans nakkehår.)* Hvis du ikke hadde hatt så travelt, ville jeg ha bedt deg om en umåtelig stor tjeneste, Torvald?

HELMER. La meg høre. Hva skulle det være?

NORA. Der er jo ingen der har en sånn fin smak som du. Nu ville jeg så gjerne se godt ut på kostymeballet. Torvald, kunne ikke du ta deg av meg og bestemme hva jeg skal være, og hvorledes min drakt skal være innrettet?

HELMER. Aha, er den lille egensindige ute og søker en redningsmann?

NORA. Ja Torvald, jeg kan ikke komme noen vei uten din hjelp.

HELMER. Godt, godt; jeg skal tenke på saken; vi skal nok finne på råd.

NORA. Å hvor det er snilt av deg. *(går atter til juletreet; opp-*

hold.) Hvor smukt de røde blomster tar seg ut. – Men si meg, er det virkelig så slemt, det som denne Krogstad har gjort seg skyldig i?

HELMER. Skrevet falske navne. Har du noen forestilling om hva det vil si?

NORA. Kan han ikke ha gjort det av nød?

HELMER. Jo, eller, som så mange, i ubesindighet. Jeg er ikke så hjerteløs at jeg ubetinget skulle fordømme en mann for en sånn enkeltstående handlings skyld.

NORA. Nei, ikke sant, Torvald!

HELMER. Mangen en kan moralsk reise seg igjen hvis han åpent bekjenner sin brøde og utstår sin straff.

NORA. Straff –?

HELMER. Men den vei gikk nu ikke Krogstad; han hjalp seg igjennem med knep og kunstgrep; og det er dette som moralsk har nedbrutt ham.

NORA. Tror du at det skulle –?

HELMER. Tenk deg blott hvorledes et sånt skyldbevisst menneske må lyve og hykle og forstille seg til alle sider, må gå med maske på like overfor sine aller nærmeste, ja like overfor sin egen hustru og sine egne børn. Og dette med børnene, det er just det forferdeligste, Nora.

NORA. Hvorfor?

HELMER. Fordi en sånn dunstkrets av løgn bringer smitte og sykdomsstoff inn i et helt hjems liv. Hvert åndedrag som børnene tar i et sånt hus, er fylt med spirer til noe stygt.

NORA *(nærmere bak ham)*. Er du viss på det?

HELMER. Å kjære, det har jeg titt nok erfart som advokat. Nesten alle tidlig forvorpne mennesker har hatt løgnaktige mødre.

NORA. Hvorfor just – mødre?

HELMER. Det skriver seg hyppigst fra mødrene; men fedre virker naturligvis i samme retning; det vet enhver sakfører meget godt. Og dog har denne Krogstad gått der hjemme i hele år og forgiftet sine egne børn i løgn og forstillelse; det er derfor jeg kaller ham moralsk forkommen. *(strek-*

ker hendene ut imot henne.) Derfor skal min søte lille Nora love meg ikke å tale hans sak. Din hånd på det. Nå, nå, hva er det? Rekk meg hånden. Se så. Avgjort altså. Jeg forsikrer deg, det ville vært meg umulig å arbeide sammen med ham; jeg føler bokstavelig et legemlig illebefinnende i slike menneskers nærhet.

NORA *(drar hånden til seg og går over på den annen side av juletreet).* Hvor varmt her er. Og jeg har så meget å bestille.

HELMER *(reiser seg og samler sine papirer sammen).* Ja, jeg får også tenke på å få lest litt av dette igjennem før bordet. Din drakt skal jeg også tenke på. Og noe til å henge i gullpapir på juletreet har jeg kanskje også i beredskap. *(legger hånden på hennes hode.)* Å du min velsignede lille sangfugl. *(han går inn i sitt værelse og lukker døren efter seg.)*

NORA *(sakte, efter en stillhet).* Å hva! Det er ikke så. Det er umulig. Det *må* være umulig.

BARNEPIKEN *(i døren til venstre).* De små ber så vakkert om de må komme inn til mamma.

NORA. Nei, nei, nei; slipp dem ikke inn til meg! Vær hos dem du, Anne-Marie.

BARNEPIKEN. Ja, ja, frue. *(lukker døren.)*

NORA *(blek av redsel).* Forderve mine små børn –! Forgifte hjemmet? *(kort opphold; hun hever nakken.)* Dette er ikke sant. Dette er aldri i evighet sant.

ANNEN AKT

(Samme stue. Oppe i kroken ved pianofortet står juletreet, plukket, forpjusket og med nedbrente lysestumper. Noras yttertøy ligger på sofaen.)

(N o r a, alene i stuen, går urolig omkring; til sist stanser hun ved sofaen og tar sin kåpe.)

NORA *(slipper kåpen igjen).* Nu kom der noen! *(mot døren; lytter.)* Nei, – der er ingen. Naturligvis – der kommer ingen i dag, første juledag; – og ikke i morgen heller. – Men kanskje – *(åpner døren og ser ut.)* Nei; ingenting i brevkassen; ganske tom. *(går fremover gulvet.)* Å tosseri! Han gjør naturligvis ikke alvor av det. Der *kan* jo ikke skje noe slikt. Det er umulig. Jeg har jo tre små børn.

(B a r n e p i k e n, med en stor pappeske, kommer fra værelset til venstre.)

BARNEPIKEN. Jo endelig fant jeg da esken med maskeradeklærne.

NORA. Takk; sett den på bordet.

BARNEPIKEN *(gjør så).* Men de er nok svært i uorden.

NORA. Å gid jeg kunne rive dem i hundre tusen stykker!

BARNEPIKEN. Bevares; de kan godt settes i stand; bare litt tålmodighet.

NORA. Ja, jeg vil gå hen og få fru Linde til å hjelpe meg.

BARNEPIKEN. Nu ut igjen? I dette stygge vær? Fru Nora forkjøler seg, – blir syk.

NORA. Og det var ikke det verste. – Hvorledes har børnene det?

BARNEPIKEN. De stakkars småkryp leker med julegavene, men –

NORA. Spør de titt efter meg?

BARNEPIKEN. De er jo så vant til å ha mamma om seg.

NORA. Ja men, Anne-Marie, jeg *kan* ikke herefter være så meget sammen med dem som før.

BARNEPIKEN. Nå, småbørn venner seg til alle ting.

NORA. Tror du det? Tror du de ville glemme sin mamma hvis hun var ganske borte?

BARNEPIKEN. Bevares; – ganske borte!

NORA. Hør, si meg, Annne-Marie, – det har jeg så ofte tenkt på – hvorledes kunne du bære over ditt hjerte å sette ditt barn ut til fremmede?

BARNEPIKEN. Men det måtte jeg jo når jeg skulle være amme for lille Nora.

NORA. Ja men at du *ville* det?

BARNEPIKEN. Når jeg kunne få en så god plass? En fattig pike som er kommet i ulykken, må være glad til. For det slette menneske gjorde jo ingenting for meg.

NORA. Men din datter har da visst glemt deg.

BARNEPIKEN. Å nei så menn har hun ikke. Hun skrev da til meg, både da hun gikk til presten, og da hun var blitt gift.

NORA *(tar henne om halsen)*. Du gamle Anne-Marie, du var en god mor for meg da jeg var liten.

BARNEPIKEN. Lille Nora, stakkar, hadde jo ingen annen mor enn jeg.

NORA. Og hvis de små ingen annen hadde, så vet jeg nok at du ville –. Snakk, snakk, snakk. *(åpner esken.)* Gå inn til dem. Nu må jeg –. I morgen skal du få se hvor deilig jeg skal bli.

BARNEPIKEN. Ja, der blir så menn ingen på hele ballet så deilig som fru Nora. *(hun går inn i værelset til venstre.)*

NORA *(begynner å pakke ut av esken, men kaster snart det hele fra seg)*. Å, hvis jeg torde gå ut. Hvis bare ingen kom. Hvis her bare ikke hendte noe her hjemme imens. Dum snakk; der kommer ingen. Bare ikke tenke. Børste av muffen. Deilige hansker, deilige hansker. Slå det hen; slå det hen! En, to, tre, fire, fem, seks – *(skriker:)* Ah, der kommer de – *(vil imot døren, men står ubeslutttsom.)*

(Fru Linde kommer fra forstuen hvor hun har skilt seg ved yttertøyet.)

NORA. Å, er det deg, Kristine. Der er vel ingen andre der ute? – Hvor det var godt at du kom.

FRU LINDE. Jeg hører du har vært oppe og spurt efter meg.

NORA. Ja, jeg gikk just forbi. Der er noe du endelig må hjelpe meg med. La oss sette oss her i sofaen. Se her. Der skal være kostymeball i morgen aften ovenpå hos konsul Stenborgs, og nu vil Torvald at jeg skal være neapolitansk fiskerpike og danse tarantella, for den lærte jeg på Capri.

FRU LINDE. Se, se; du skal gi en hel forestilling?

NORA. Ja Torvald sier jeg bør gjøre det. Se, her har jeg drakten; den lot Torvald sy til meg der nede; men nu er det alt sammen så forrevet, og jeg vet slett ikke –

FRU LINDE. Å det skal vi snart få i stand; det er jo ikke annet enn besetningen som er gått litt løs hist og her. Nål og tråd? Nå, her har vi jo hva vi behøver.

NORA. Å hvor det er snilt av deg.

FRU LINDE *(syr)*. Så du skal altså være forkledd i morgen, Nora? Vet du hva, – da kommer jeg hen et øyeblikk og ser deg pyntet. Men jeg har jo rent glemt å takke deg for den hyggelige aften i går.

NORA *(reiser seg og går bortover gulvet)*. Å i går synes jeg ikke her var så hyggelig som det pleier. – Du skulle kommet litt før til byen, Kristine. – Ja, Torvald forstår riktignok å gjøre hjemmet fint og deilig.

FRU LINDE. Du ikke mindre, tenker jeg; du er vel ikke for ingenting din fars datter. Men si meg, er doktor Rank alltid så nedstemt som i går?

NORA. Nei, i går var det svært påfallende. Men han bærer forresten på en meget farlig sykdom. Han har tæring i ryggmarven, stakkar. Jeg skal si deg, hans far var et vemmelig menneske, som holdt elskerinner og sånt noe; og derfor ble sønnen sykelig fra barndommen av, forstår du.

FRU LINDE *(lar sytøyet synke)*. Men kjæreste, beste Nora, hvor får du slikt å vite?

NORA *(spaserer)*. Pytt, – når man har tre børn, så får en undertiden besøk av – av fruer, som er så halvveis lægekyndige; og de forteller en jo et og annet.

FRU LINDE *(syr igjen; kort taushet)*. Kommer doktor Rank hver dag her i huset?

NORA. Hver evige dag. Han er jo Torvalds beste ungdomsvenn, og *min* gode venn også. Doktor Rank hører liksom huset til.

FRU LINDE. Men si meg du: er den mannen fullt oppriktig? Jeg mener, vil han ikke gjerne si folk behageligheter?

NORA. Nei, tvert imot. Hvor faller du på det?

FRU LINDE. Da du i går forestillet meg for ham, forsikret han at han ofte hadde hørt mitt navn her i huset; men siden merket jeg at din mann slett ikke hadde noe begrep om hvem jeg egentlig var. Hvor kunne så doktor Rank –?

NORA. Jo, det er ganske riktig, Kristine. Torvald holder jo så ubeskrivelig meget av meg; og derfor vil han eie meg ganske alene, som han sier. I den første tid ble han liksom skinnsyk bare jeg nevnte noen av de kjære mennesker der hjemme. Så lot jeg det naturligvis være. Men med doktor Rank taler jeg titt om slikt noe; for han vil gjerne høre på det, ser du.

FRU LINDE. Hør her, Nora; du er i mange stykker som et barn ennu; jeg er jo adskillig eldre enn du, og har litt mer erfaring. Jeg vil si deg noe: du skulle se å komme ut av dette her med doktor Rank.

NORA. Hva for noe skulle jeg se å komme ut av?

FDU LINDE. Både av det ene og det annet, synes jeg. I går snakket du noe om en rik beundrer, som skulle skaffe deg penge –

NORA. Ja, en som ikke er til – dessverre. Men hva så?

FRU LINDE. Har doktor Rank formue?

NORA. Ja, det har han.

FRU LINDE. Og ingen å sørge for?

NORA. Nei, ingen; men –?

FRU LINDE. Og han kommer hver dag her i huset?

NORA. Ja, det hører du jo.

FRU LINDE. Men hvor kan den fine mann være så pågående?

NORA. Jeg forstår deg aldeles ikke.

FRU LINDE. Forstill deg nu ikke, Nora. Tror du ikke jeg skjønner hvem du har lånt de tolv hundre spesier av?

NORA. Er du fra sans og samling? Kan du tenke deg noe slikt! En venn av oss, som kommer her hver eneste dag! Hvilken fryktelig pinlig stilling ville ikke det være?

FRU LINDE. Altså virkelig ikke ham?

NORA. Nei, det forsikrer jeg deg. Det har aldri et øyeblikk kunnet falle meg inn –. Han hadde heller ingen penge å låne bort den gang; han arvet først bakefter.

FRU LINDE. Nå, det tror jeg var et hell for deg, min kjære Nora.

NORA. Nei, det kunne da aldri falle meg inn å be doktor Rank –. Forresten er jeg ganske viss på, at dersom jeg ba ham –

FRU LINDE. Men det gjør du naturligvis ikke.

NORA. Nei naturligvis. Jeg synes ikke jeg kan tenke meg at det skulle bli nødvendig. Men jeg er ganske sikker på, at dersom jeg talte til doktor Rank –

FRU LINDE. Bak din manns rygg?

NORA. Jeg må ut av det annet; *det* er også bak hans rygg. Jeg *må* ut av dette her.

FRU LINDE. Ja, ja, det sa jeg også i går; men –

NORA *(går opp og ned)*. En mann kan meget bedre klare slikt noe enn et fruentimmer –

FRU LINDE. Ens egen mann, ja.

NORA. Snikksnakk. *(stanser.)* Når en betaler alt hva en skylder, så får en jo sitt gjeldsbevis tilbake.

FRU LINDE. Ja det forstår seg.

NORA. Og kan rive det i hundre tusen stykker og brenne det opp, – det ekle skitne papir!

FRU LINDE *(ser stivt på henne, legger sytøyet fra seg og reiser seg langsomt)*. Nora, du skjuler noe for meg.

NORA. Kan du se det på meg?

FRU LINDE. Det er hendt deg noe siden i går morges. Nora, hva er det for noe?

NORA *(imot henne)*. Kristine! *(lytter.)* Hyss! Nu kom Torvald hjem. Se her; sett deg inn til børnene så lenge. Torvald tåler ikke å se skreddersøm. La Anne-Marie hjelpe deg.

FRU LINDE *(samler en del av sakene sammen)*. Ja, ja, men jeg går ikke herfra før vi har talt oppriktig sammen.

(Hun går inn til venstre; i det samme kommer H e l m e r fra forstuen.)

NORA*(går ham i møte)*. Å, hvor jeg har ventet på deg, kjære Torvald.

HELMER. Var det sypiken –?

NORA. Nei, det var Kristine; hun hjelper meg å gjøre min drakt i stand. Du kan tro jeg skal komme til å ta meg ut.

HELMER. Ja var det ikke et ganske heldig innfall av meg?

NORA. Prektig! Men er jeg ikke også snill at jeg føyer deg?

HELMER *(tar henne under haken)*. Snill – fordi du føyer din mann? Nå, nå, du lille galning, jeg vet nok du mente det ikke så. Men jeg vil ikke forstyrre deg; du skal prøve, kan jeg tro.

NORA. Og du skal vel arbeide?

HELMER. Ja. *(viser en pakke papirer.)* Se her. Jeg har vært nede i banken – *(vil gå inn i sitt værelse.)*

NORA. Torvald.

HELMER *(stanser)*. Ja.

NORA. Hvis nu din lille ekorn ba deg riktig inderlig vakkert om en ting –?

HELMER. Hva så?

NORA. Ville du så gjøre det?

HELMER. Først må jeg naturligvis vite hva det er.

NORA. Ekornen skulle løpe omkring og gjøre spillopper hvis du ville være snill og føyelig.

HELMER. Frem med det da.

NORA. Lerkefuglen skulle kvidre i alle stuene, både høyt og lavt –

HELMER. Å hva, det gjør jo lerkefuglen allikevel.

NORA. Jeg skulle leke alfepike og danse for deg i måneskinnet, Torvald.

HELMER. Nora, – det er dog vel aldri det du slo på i morges?

NORA *(nærmere)*. Jo, Torvald, jeg ber deg *så* bønnlig!

HELMER. Og du har virkelig mot til å rippe den sak opp igjen?

NORA. Ja, ja, du må føye meg; du *må* la Krogstad få beholde sin post i banken.

HELMER. Min kjære Nora, hans post har jeg bestemt for fru Linde.

NORA. Ja, det er umåtelig snilt av deg; men du kan jo bare avskjelige en annen kontorist istedenfor Krogstad.

HELMER. Dette er dog en utrolig egensindighet! Fordi du går hen og gir et ubetenksomt løfte om å tale for ham, så skulle jeg –!

NORA. Det er ikke derfor, Torvald. Det er for din egen skyld. Dette menneske skriver jo i de styggeste aviser; det har du selv sagt. Han kan gjøre deg så usigelig meget ondt. Jeg har en sånn dødelig angst for ham –

HELMER. Aha, jeg forstår; det er gamle erindringer som skremmer deg opp.

NORA. Hva mener du med det?

HELMER. Du tenker naturligvis på din far.

NORA. Ja; ja vel. Husk bare på hvorledes ondskapsfulle mennesker skrev i avisene om pappa og baktalte ham så gruelig. Jeg tror de hadde fått ham avsatt hvis ikke departementet hadde sendt deg derhen for å se efter, og hvis ikke du hadde vært så velvillig og så hjelpsom imot ham.

HELMER. Min lille Nora, der er en betydelig forskjell mellem din far og meg. Din far var ingen uangripelig embedsmann. Men det er jeg; og det håper jeg at jeg skal bli ved å være så lenge jeg står i min stilling.

NORA. Å, der er ingen som vet hva onde mennesker kan finne på. Nu kunne vi få det så godt, så rolig og lykkelig her i vårt fredelige og sorgløse hjem, – du og jeg og børnene, Torvald! Derfor er det at jeg ber deg så inderlig –

HELMER. Og just ved å gå i forbønn for ham gjør du meg det umulig å beholde ham. Det er allerede bekjent i banken at jeg vil avskjedige Krogstad. Skulle det nu ryktes at den nye bankdirektøren hadde latt seg ombestemme av sin kone –

NORA. Ja hva så –

HELMER. Nei naturligvis; når bare den lille egensindige kunne få sin vilje –. Jeg skulle gå hen og gjøre meg latterlig for hele personalet, – bringe folk på den tanke at jeg var avhengig av alskens fremmede innflytelser? Jo du kan tro jeg ville snart komme til å spore følgene! Og dessuten – der er en omstendighet som gjør Krogstad aldeles umulig i banken så lenge jeg står som direktør.

NORA. Hva er det for noe?

HELMER. Hans moralske brøst kunne jeg kanskje i nødsfall ha oversett –

NORA. Ja, ikke sant, Torvald?

HELMER. Og jeg hører han skal være ganske brukbar også. Men han er en ungdomsbekjent av meg. Det er et av disse overilede bekjentskaper som man så mangen gang senere i livet sjeneres av. Ja, jeg kan gjerne si deg det like ut: vi er dus. Og dette taktløse menneske legger slett ikke skjul på det når andre er til stede. Tvert imot, – han tror at det berettiger ham til en familiær tone imot meg; og så trumfer han hvert øyeblikk ut med sitt: du, du Helmer. Jeg forsikrer deg, det virker høyst pinlig på meg. Han ville gjøre meg min stilling i banken utålelig.

NORA. Torvald, alt dette mener du ikke noe med.

HELMER. Ja så? Hvorfor ikke?

NORA. Nei, for dette her er jo bare smålige hensyn.

HELMER. Hva er det du sier? Smålig? Synes du jeg er smålig!

NORA. Nei, tvert imot, kjære Torvald; og just derfor –

HELMER: Like meget; du kaller mine beveggrunne smålige; så må vel jeg også være det. Smålig! Ja så! – Nå, dette skal tilforlatelig få en ende. *(går hen til forstuen og roper:)* Helene!

NORA. Hva vil du?

HELMER *(søker mellem sine papirer)*. En avgjørelse. *(Stuepiken kommer inn.)*

HELMER. Se her; ta dette brev; gå ned med det straks. Få fatt i et bybud og la ham besørge det. Men hurtig. Adressen står utenpå. Se, der er penge.

STUEPIKEN. Godt. *(hun går med brevet.)*

HELMER *(legger papirene sammen)*. Se så, min lille fru stivnakke.

NORA *(åndeløs)*. Torvald, – hva var det for et brev?

HELMER. Krogstads oppsigelse.

NORA. Kall det tilbake, Torvald! Det er ennu tid. Å, Torvald, kall det tilbake! Gjør det for min skyld; – for din egen skyld; for børnenes skyld! Hører du, Torvald; gjør det! Du vet ikke hva dette kan bringe over oss alle.

HELMER. For sent.

NORA. Ja, for sent.

HELMER. Kjære Nora, jeg tilgir deg denne angst som du her går i, skjønt den i grunnen er en fornærmelse imot meg. Jo, det er! Eller er det kanskje ikke en fornærmelse å tro at *jeg* skulle være bange for en forkommen vinkelskrivers hevn? Men jeg tilgir deg det allikevel, fordi det så smukt vidner om din store kjærlighet til meg. *(tar henne i sine arme.)* Således skal det være, min egen elskede Nora. La så komme hva der vil. Når det riktig gjelder, kan du tro jeg har både mot og krefter. Du skal se jeg er mann for å ta alt på meg.

NORA *(skrekkslagen)*. Hva mener du med det?

HELMER. Alt, sier jeg –

NORA *(fattet)*. Det skal du aldri i evighet gjøre.

HELMER. Godt; så deler vi, Nora, – som mann og hustru.

Det er som det skal være. *(kjæler for henne.)* Er du nu fornøyet? Så, så, så; ikke disse forskremte dueøyne. Det er jo alt sammen ikke annet enn de tommeste innbilninger. – Nu skulle du spille tarantellaen igjennem og øve deg med tamburinen. Jeg setter meg i det indre kontor og lukker mellemdøren, så hører jeg ingenting; du kan gjøre all den larm du vil. *(vender seg i døren.)* Og når Rank kommer, så si ham hvor han kan finne meg. *(han nikker til henne, går med sine papirer inn i sitt værelse og lukker efter seg.)*

NORA *(forvillet av angst, står som fastnaglet, hvisker).* Han var i stand til å gjøre det. Han gjør det. Han gjør det, tross alt i verden. – Nei, aldri i evighet dette! Før alt annet! Redning –! En utvei – *(det ringer i forstuen).* Doktor Rank –! Før alt annet! Før *alt* hva det så skal være! *(hun stryker seg over ansiktet, griper seg sammen og går hen og åpner døren til forstuen. Doktor Rank står der ute og henger sin pelsfrakke opp. Under det følgende begynner det å mørkne.)*

NORA. God dag, doktor Rank. Jeg kjente Dem på ringningen. Men De skal ikke gå inn til Torvald nu; for jeg tror han har noe å bestille.

RANK. Og De?

NORA *(idet han går inn i stuen, og hun lukker døren efter ham).* Å det vet De nok, – for Dem har jeg alltid en stund til overs.

RANK. Takk for det. Det skal jeg gjøre bruk av så lenge jeg kan.

NORA. Hva mener De med det? Så lenge De kan?

RANK. Ja. Forskrekker *det* Dem?

NORA. Nå, det er et så underlig uttrykk. Skulle der da inntreffe noe?

RANK. Der vil inntreffe det som jeg lenge har vært forberedt på. Men jeg trodde riktignok ikke at det skulle komme så snart.

NORA *(griper efter hans arm).* Hva er det De har fått å vite? Doktor Rank, De skal si meg det!

RANK *(setter seg ved ovnen)*. Med meg går det nedover. Det er ikke noe å gjøre ved.

NORA *(ånder lettet)*. Er det Dem –?

RANK. Hvem ellers? Det kan ikke nytte å lyve for seg selv. Jeg er den miserableste av alle mine pasienter, fru Helmer. I disse dage har jeg foretatt et generaloppgjør av min indre status. Bankerott. Innen en måned ligger jeg kanskje og råtner oppe på kirkegården.

NORA. Å fy, hvor stygt De taler.

RANK. Tingen er også forbannet stygg. Men det verste er at der vil gå så megen annen stygghet forut. Der står nu bare en eneste undersøkelse tilbake; når jeg er ferdig med den, så vet jeg så omtrent hva tid oppløsningen begynner. Der er noe jeg vil si Dem. Helmer har i sin fine natur en så utpreget motbydelighet mot alt hva der er heslig. Jeg vil ikke ha ham i mitt sykeværelse –

NORA. Å men doktor Rank –

RANK. Jeg vil ikke ha ham der. På ingen måte. Jeg stenger min dør for ham. – Så snart jeg har fått full visshet for det verste, sender jeg Dem mitt visittkort med et sort kors på, og da vet De at nu er ødeleggelsens vederstyggelighet begynt.

NORA. Nei, i dag er De da rent urimelig. Og jeg som så gjerne ville at De skulle ha vært i riktig godt lune.

RANK. Med døden i hendene? – Og således å bøte for en annens skyld. Er det rettferdighet i dette? Og i hver eneste familie råder der på en eller annen måte en slik ubønnhørlig gjengjeldelse –

NORA *(holder for ørene)*. Snikksnakk! Lystig; lystig!

RANK. Ja, det er min sel ikke annet enn til å le ad, det hele. Min arme, uskyldige ryggrad må svi for min fars lystige løytnantsdage.

NORA *(ved bordet til venstre)*. Han var jo så henfallen til asparges og gåseleverposteier. Var det ikke så?

RANK. Jo; og til trøfler.

NORA. Ja trøfler, ja. Og så til østers, tror jeg?

RANK. Ja østers, østers; det forstår seg.

NORA. Og så all den portvin og champagne til. Det er sørgelig at alle disse lekre ting skal slå seg på benraden.

RANK. Især at de skal slå seg på en ulykkelig benrad, som ikke har fått det minste godt av dem.

NORA. Ak ja, det er nu det aller sørgeligste.

RANK *(ser forskende på henne)*. Hm –

NORA *(litt efter)*. Hvorfor smilte De?

RANK. Nei, det var Dem som lo.

NORA. Nei, det var Dem som smilte, doktor Rank!

RANK *(reiser seg)*. De er nok en større skjelm enn jeg hadde tenkt.

NORA. Jeg er så oppsatt på galskaper i dag.

RANK. Det later til.

NORA *(med begge hender på hans skuldre)*. Kjære, kjære doktor Rank, De skal ikke dø fra Torvald og meg.

RANK. Og det savn ville De så menn lett forvinne. Den som går bort, glemmes snart.

NORA *(ser angst på ham)*. Tror De det?

RANK. Man slutter nye forbindelser, og så –

NORA. Hvem slutter nye forbindelser?

RANK. Det vil både De og Helmer gjøre når jeg er vekk. De selv er allerede i god gang, synes jeg. Hva skulle denne fru Linde her i går aftes?

NORA. Aha, – De er dog vel aldri skinnsyk på den stakkars Kristine?

RANK. Jo, jeg er. Hun vil bli min efterfølgerske her i huset. Når jeg har fått forfall, skal kanskje dette fruentimmer –

NORA. Hyss; tal ikke så høyt; hun er der inne.

RANK. I dag også? Ser De vel.

NORA. Bare for å sy på min drakt. Herregud, hvor urimelig De er. *(setter seg på sofaen.)* Vær nu snill, doktor Rank; i morgen skal De få se hvor smukt jeg skal danse; og da skal De forestille Dem at jeg gjør det bare for Deres skyld, – ja, og så naturligvis for Torvalds; – det forstår seg. *(tar forskjellige saker ut av esken.)* Doktor Rank; sett Dem her, så skal jeg vise Dem noe.

RANK *(setter seg)*. Hva er det?

NORA. Se her. Se!

RANK. Silkestrømper.

NORA. Kjødfarvede. Er ikke de deilige? Ja, nu er her så mørkt; men i morgen –. Nei, nei, nei; De får bare se fotbladet. Å jo, De kan så menn gjerne få se oventil også.

RANK. Hm –

NORA. Hvorfor ser De så kritisk ut? Tror De kanskje ikke de passer?

RANK. Det kan jeg umulig ha noen begrunnet formening om.

NORA *(ser et øyeblikk på ham)*. Fy skam Dem. *(slår ham lett på øret med strømpene.)* Det skal De ha. *(pakker dem atter sammen.)*

RANK. Og hva er det så for andre herligheter jeg skal få se?

NORA. De får ikke se en smule mer; for De er uskikkelig. *(hun nynner litt og leter mellem sakene.)*

RANK *(efter en kort taushet)*. Når jeg sitter her således ganske fortrolig sammen med Dem, så begriper jeg ikke – nei, jeg fatter det ikke – hva der skulle blitt av meg hvis jeg aldri var kommet her i huset.

NORA *(smiler)*. Jo jeg tror nok at De i grunnen hygger Dem ganske godt hos oss.

RANK *(saktere, ser hen for seg)*. Og så å skulle gå fra det alt sammen –

NORA. Snikksnakk; De går ikke fra det.

RANK *(som før)*. – og ikke kunne efterlate seg et fattig takkens tegn en gang; knapt nok et flyktig savn, – ikke annet enn en ledig plass, som kan utfylles av den første den beste.

NORA. Og hvis jeg nu ba Dem om –? Nei –

RANK. Om hva?

NORA. Om et stort bevis på Deres vennskap –

RANK. Ja, ja?

NORA. Nei jeg mener, – om en umåtelig stor tjeneste –

RANK. Ville De virkelig for *én* gangs skyld gjøre meg så lykkelig?

NORA. Å, De vet jo slett ikke hva det er.

RANK. Nu godt; så si det.

NORA. Nei men jeg kan ikke, doktor Rank; det er noe så urimelig meget, – både et råd og en hjelp og en tjeneste –

RANK. Så meget desto bedre. Det er meg ufattelig hva De kan mene. Men så tal dog. Har jeg da ikke Deres fortrolighet?

NORA. Jo det har De som ingen annen. De er min troeste og beste venn, det vet De nok. Derfor vil jeg også si Dem det. Nu vel da, doktor Rank; der er noe som De må hjelpe meg å forhindre. De vet hvor inderlig, hvor ubeskrivelig høyt Torvald elsker meg; aldri et øyeblikk ville han betenke seg på å gi sitt liv hen for min skyld.

RANK *(bøyet mot henne)*. Nora, – tror De da at han er den eneste –?

NORA *(med et lett rykk)*. Som –?

RANK. Som gladelig ga sitt liv hen for Deres skyld.

NORA *(tungt)*. Ja så.

RANK. Jeg har svoret ved meg selv at De skulle vite det før jeg gik bort. En bedre leilighet ville jeg aldri finne. – Ja, Nora, nu vet De det. Og nu vet De også at til meg kan De betro Dem som til ingen annen.

NORA *(reiser seg; jevnt og rolig)*. La meg slippe frem.

RANK *(gjør plass for henne, men blir sittende)*. Nora –

NORA *(i døren til forstuen)*. Helene, bring lampen inn. – *(går hen imot ovnen.)* Akk, kjære doktor Rank, dette her var virkelig stygt av Dem.

RANK *(reiser seg)*. At jeg har elsket Dem fullt så inderlig som noen annen? Var *det* stygt?

NORA. Nei, men at De går hen og sier meg det. Det var jo slett ikke nødvendig –

RANK. Hva mener De? Har De da visst –?

(S t u e p i k e n kommer inn med lampen, setter den på bordet og går ut igjen.)

RANK. Nora, – fru Helmer –, jeg spør Dem, har De visst noe?

NORA. Å hva vet jeg hva jeg har visst eller ikke visst? Jeg kan virkelig ikke si Dem –. At De kunne være så klosset, doktor Rank! Nu var all ting så godt.

RANK. Nå, De har iallfall nu visshet for at jeg står Dem til rådighet med liv og sjel. Og vil De så tale ut.

NORA *(ser på ham)*. Efter dette?

RANK. Jeg ber Dem, la meg få vite hva det er.

NORA. Ingenting kan De få vite nu.

RANK. Jo, jo. Således må De ikke straffe meg. La meg få lov til å gjøre for Dem hva der står i menneskelig makt.

NORA. Nu kan De ingenting gjøre for meg. – Forresten behøver jeg visst ikke noen hjelp. De skal se det er bare innbilninger alt sammen. Ja visst er det så. Naturligvis! *(setter seg i gyngestolen, ser på ham, smiler.)* Jo, De er riktignok en nett herre, doktor Rank. Synes De ikke De skammer Dem nu lampen er kommet inn?

RANK. Nei; egentlig ikke. Men jeg skal kanskje gå – for stetse?

NORA. Nei, det skal De da riktignok ikke gjøre. De skal naturligvis komme her som før. De vet jo godt Torvald kan ikke unnvære Dem.

RANK. Ja, men *De?*

NORA. Å, jeg synes alltid her blir så uhyre fornøyelig når De kommer.

RANK. Det er just det som lokket meg inn på et villspor. De er meg en gåte. Mangen gang har det forekommet meg at De nesten likså gjerne ville være sammen med meg som med Helmer.

NORA. Ja, ser De, der er jo noen mennesker som man holder mest av, og andre mennesker som man nesten helst vil være sammen med.

RANK. Å ja, det er noe i det.

NORA. Da jeg var hjemme, holdt jeg naturligvis mest av

pappa. Men jeg syntes alltid det var så umåtelig morsomt når jeg kunne stjele meg ned i pikekammeret; for de veiledet meg ikke en smule; og så talte de alltid så meget fornøyelig seg imellem.

RANK. Aha; det er altså *dem* jeg har avløst.

NORA *(springer opp og hen til ham)*. Å, kjære, snille doktor Rank, det mente jeg jo slett ikke. Men De kan vel skjønne at det er med Torvald liksom med pappa –

(Stuepiken kommer fra forstuen.)

STUEPIKEN. Frue! *(hvisker og rekker henne et kort.)*

NORA *(kaster et øye på kortet)*. Ah! *(stikker det i lommen.)*

RANK. Noe galt på ferde?

NORA. Nei, nei, på ingen måte; det er bare noe –; det er min nye drakt –

RANK. Hvorledes? Der ligger jo Deres drakt.

NORA. Å, ja den; men det er en annen; jeg har bestilt den –; Torvald må ikke vite det –

RANK. Aha, der har vi altså den store hemmelighet.

NORA. Ja visst; gå bare inn til ham; han sitter i det indre værelse; hold ham opp så lenge –

RANK. Vær rolig; han skal ikke slippe fra meg. *(han går inn i Helmers værelse.)*

NORA *(til piken)*. Og han står og venter i kjøkkenet?

STUEPIKEN. Ja, han kom opp baktrappen –

NORA. Men sa du ikke at her var noen?

STUEPIKEN. Jo, men det hjalp ikke.

NORA. Han vil ikke gå igjen?

STUEPIKEN. Nei, han går ikke før han får talt med fruen.

NORA. Så la ham komme inn; men sakte. Helene, du må ikke si det til noen; det er en overraskelse for min mann.

STUEPIKEN. Ja, ja, jeg forstår nok – *(hun går ut.)*

NORA. Det forferdelige skjer. Det kommer allikevel. Nei, nei, nei, det kan ikke skje; det skal ikke skje. *(hun går hen og skyter skodden for Helmers dør.)*

(Stuepiken åpner forstuedøren for sakfører

K r o g s t a d og lukker igjen efter ham. Han er kledd i reisepels, ytterstøvler og skinnhue.)

NORA *(hen imot ham).* Tal sakte; min mann er hjemme.

KROGSTAD. Nå, la ham det.

NORA. Hva vil De meg?

KROGSTAD. Få vite beskjed om noe.

NORA. Så skynd Dem. Hva er det?

KROGSTAD. De vet vel at jeg har fått min oppsigelse.

NORA. Jeg kunne ikke forhindre det, herr Krogstad. Jeg har kjempet til det ytterste for Deres sak; men det hjalp ikke noe.

KROGSTAD. Har Deres mann så liten kjærlighet til Dem? Han vet hva jeg kan utsette Dem for, og allikevel vover han –

NORA. Hvor kan De tenke at han har fått det å vite?

KROGSTAD. Å nei, jeg tenkte det nu heller ikke. Det lignet slett ikke min gode Torvald Helmer å vise så meget mannsmot –

NORA. Herr Krogstad, jeg krever aktelse for min mann.

KROGSTAD. Bevares, all skyldig aktelse. Men siden fruen holder dette her så engstelig skjult, så tør jeg vel anta at De også har fått litt bedre opplysning enn i går om hva De egentlig har gjort?

NORA. Mer enn *De* noensinne kunne lære meg.

KROGSTAD. Ja, slik en dårlig jurist som jeg –

NORA. Hva er det De vil meg?

KROGSTAD. Bare se hvorledes det sto til med Dem, fru Helmer. Jeg har gått og tenkt på Dem hele dagen. En inkassator, en vinkelskriver, en – nå en som jeg, har også litt av det som kalles for hjertelag, ser De.

NORA. Så vis det; tenk på mine små børn.

KROGSTAD. Har De og Deres mann tenkt på mine? Men det kan nu være det samme. Det var bare det jeg ville si Dem, at De ikke behøver å ta denne sak altfor alvorlig. Der vil ikke for det første skje noen påtale fra min side.

NORA. Å nei; ikke sant; det visste jeg nok.

KROGSTAD. Det hele kan jo ordnes i all minnelighet; det behøver slett ikke komme ut iblant folk; det blir bare imellem oss tre.

NORA. Min mann må aldri få noe å vite om dette.

KROGSTAD. Hvorledes vil De kunne forhindre det? Kan De kanskje betale hva der står til rest?

NORA. Nei, ikke nu straks.

KROGSTAD. Eller har De kanskje utvei til å reise penge en av dagene?

NORA. Ingen utvei som jeg vil gjøre bruk av.

KROGSTAD. Ja, det ville nu ikke ha nyttet Dem noe allikevel. Om De så sto her med aldri så mange kontanter i hånden, så fikk De ikke Deres forskrivning ifra meg for det.

NORA. Så forklar meg da hva De vil bruke den til.

KROGSTAD. Jeg vil bare beholde den, – ha den i mitt verge. Der er ingen uvedkommende som får nyss om det. Hvis De derfor skulle gå her med en eller annen fortvilet beslutning –

NORA. Det gjør jeg.

KROGSTAD. – hvis De skulle tenke på å løpe fra hus og hjem –

NORA. Det gjør jeg!

KROGSTAD. – eller De skulle tenke på det som verre er –

NORA. Hvor kan De vite det?

KROGSTAD. – så la slikt fare.

NORA. Hvor kan De vite at jeg tenker på *det?*

KROGSTAD. De fleste av oss tenker på *det* i førstningen. Jeg tenkte også på det; men jeg hadde min sel ikke mot –

NORA *(tonløst)*. Jeg ikke heller.

KROGSTAD *(lettet)*. Nei, ikke sant; De har ikke mot til det, De heller?

NORA. Jeg har det ikke; jeg har det ikke.

KROGSTAD. Det ville også være en stor dumhet. Når bare den første huslige storm er over –. Jeg har her i lommen brev til Deres mann –

NORA. Og dêr står det alt sammen?

KROGSTAD. I så skånsomme uttrykk som mulig.

NORA *(hurtig)*. Det brev må han ikke få. Riv det i stykker igjen. Jeg vil gjøre utvei til penge allikevel.

KROGSTAD. Om forlatelse, frue, men jeg tror jeg sa Dem nylig –

NORA. Å jeg taler ikke om de penge jeg skylder Dem. La meg få vite hvor stor sum De fordrer av min mann, så skal jeg skaffe pengene.

KROGSTAD. Jeg fordrer ingen penge av Deres mann.

NORA. Hva fordrer De da?

KROGSTEAD. Det skal De få vite. Jeg vil på fote, frue; jeg vil til værs; og det skal Deres mann hjelpe meg med. I halvannet år har jeg ikke gjort meg skyldig i noe uhederlig; jeg har i all den tid kjempet med de trangeste kår; jeg var tilfreds med å arbeide meg opp skritt for skritt. Nu er jeg jaget vekk, og jeg lar meg ikke nøyes med bare å tas til nåde igjen. Jeg vil til værs, sier jeg Dem. Jeg vil inn i banken igjen, – ha en høyere stilling; Deres mann skal opprette en post for meg –

NORA. Det gjør han aldri!

KROGSTAD. Han gjør det; jeg kjenner ham; han vover ikke å kny. Og er jeg først der inne sammen med ham, da skal De bare få se! Innen et år skal jeg være direktørens høyre hånd. Det skal bli Nils Krogstad og ikke Torvald Helmer som styrer Aksjebanken.

NORA. Det skal De aldri komme til å oppleve!

KROGSTAD. Vil De kanskje –?

NORA. Nu har jeg mot til det.

KROGSTAD. Å De skremmer meg ikke. En fin forvent dame som De –

NORA. De skal få se; De skal få se!

KROGSTAD. Under isen kanskje? Ned i det kolde, kullsorte vann? Og så til våren flyte opp, stygg, ukjennelig, med avfalt hår –

NORA. De skremmer meg ikke.

KROGSTAD. De skremmer heller ikke meg. Slikt noe gjør man

ikke, fru Helmer. Hva ville det dessuten nytte til? Jeg har ham jo like fullt i lommen.

NORA. Bakefter? Når ikke jeg lenger –?

KROGSTAD. Glemmer De at da er *jeg* rådig over Deres eftermæle?

NORA *(står målløs og ser på ham)*.

KROGSTAD. Ja, nu har jeg forberedt Dem. Gjør så ingen dumheter. Når Helmer har fått mitt brev, så venter jeg bud fra ham. Og husk vel på at det er Deres mann selv som har tvunget meg inn igjen på denne slags veie. Det skal jeg aldri tilgi ham. Farvel, frue. *(han går ut gjennem forstuen.)*

NORA *(mot forstuedøren, åpner den på klem og lytter)*. Går. Gir ikke brevet av. Å nei, nei, det ville jo også være umulig! *(åpner døren mer og mer.)* Hva er det? Han står utenfor. Går ikke nedover trappene. Betenker han seg? Skulle han –? *(et brev faller i brevkassen; derpå hører man Krogstads skritt, som taper seg nedenfor i trappetrinnene.)*

NORA *(med et dempet skrik, løper fremover gulvet og henimot sofabordet; kort opphold)*. I brevkassen. *(lister seg sky hen til forstuedøren.)* Der ligger det. – Torvald, Torvald, – nu er vi redningsløse!

FRU LINDE *(kommer med kostymet fra værelset til venstre)*. Ja nu vet jeg ikke mer å rette. Skulle vi kanskje prøve –?

NORA *(hest og sakte)*. Kristine, kom her.

FRU LINDE *(kaster kledningen på sofaen)*. Hva feiler deg? Du ser ut som forstyrret.

NORA. Kom her. Ser du det brev? *Der;* se, – gjennem ruten i brevkassen.

FRU LINDE. Ja, ja; jeg ser det nok.

NORA. Det brev er fra Krogstad –

FRU LINDE. Nora, – det er Krogstad som har lånt deg pengene!

NORA. Ja; og nu får Torvald all ting å vite.

FRU LINDE. Å tro meg, Nora, det er best for jer begge.

NORA. Der er mer enn du vet om. Jeg har skrevet et falsk navn –

FRU LINDE. Men for himmelens skyld –?

NORA. Nu er det bare det jeg vil si deg, Kristine, at du skal være mitt vidne.

FRU LINDE. Hvorledes vidne? Hva skal jeg –?

NORA. Dersom jeg kommer til å gå fra forstanden, – og det kunne jo godt hende –

FRU LINDE. Nora!

NORA. Eller der skulle tilstøte meg noe annet, – noe, således at jeg ikke kunne være til stede her –

FRU LINDE. Nora, Nora, du er jo rent som fra deg selv!

NORA. Hvis der så skulle være noen som ville ta alt på seg, hele skylden, forstår du –

FRU LINDE. Ja, ja; men hvor kan du tenke –?

NORA. Da skal du vidne at det ikke er sant, Kristine. Jeg er slett ikke fra meg selv; jeg har min fulle forstand nu; og jeg sier deg: der har ikke noen annen visst om det; jeg alene har gjort det alt sammen. Husk på det.

FRU LINDE. Det skal jeg nok. Men jeg forstår ikke alt dette.

NORA. Å hvor skulle du kunne forstå det? Det er jo det vidunderlige som nu vil skje.

FRU LINDE. Det vidunderlige?

NORA. Ja, det vidunderlige. Men det er så forferdelig, Kristine; det *må* ikke skje, ikke for noen pris i verden.

FRU LINDE. Jeg vil gå like hen og tale med Krogstad.

NORA. Gå ikke hen til ham; han gjør deg noe ondt!

FRU LINDE. Det var en tid da han gjerne hadde gjort hva det skulle være for min skyld.

NORA. Han?

FRU LINDE. Hvor bor han?

NORA. Å, hva vet jeg –? Jo, *(tar i lommen.)* her er hans kort. Men brevet, brevet –!

HELMER *(innenfor i sitt værelse, banker på døren)*. Nora!

NORA *(skriker i angst)*. Å, hva er det? Hva vil du meg?

HELMER. Nå, nå, bli bare ikke så forskrekket. Vi kommer jo ikke; du har jo stengt døren; prøver du kanskje?

NORA. Ja, ja; jeg prøver. Jeg blir så smukk, Torvald.

FRU LINDE *(som har lest på kortet)*. Han bor jo like her om hjørnet.

NORA. Ja; men det nytter jo ikke. Vi er redningsløse. Brevet ligger jo i kassen.

FRU LINDE. Og din mann har nøkkelen?

NORA. Ja, alltid.

FRU LINDE. Krogstad må kreve sitt brev tilbake ulest, han må finne på et påskudd –

NORA. Men just på denne tid pleier Torvald –

FRU LINDE. Forhal det; gå inn til ham så lenge. Jeg kommer igjen så fort jeg kan. *(hun går hurtig ut gjennem forstuedøren.)*

NORA *(går hen til Helmers dør, åpner den og kikker inn)*. Torvald!

HELMER *(i bakværelset)*. Nå, tør man endelig slippe inn i sin egen stue igjen? Kom, Rank, nu skal vi da få se – *(i døren.)* Men hva er det?

NORA. Hvilket, kjære Torvald?

HELMER. Rank forberedte meg på en storartet forkledningsscene.

RANK *(i døren)*. Jeg forsto det så, men jeg tok altså feil.

NORA. Ja, der får ingen beundre meg i min prakt før i morgen.

HELMER. Men, kjære Nora, du ser så anstrengt ut. Har du øvet deg for meget?

NORA. Nei, jeg har slett ikke øvet meg ennu.

HELMER. Det blir dog nødvendig –

NORA. Ja, det blir aldeles nødvendig, Torvald. Men jeg kan ingen vei komme uten din hjelp; jeg har rent glemt det alt sammen.

HELMER. Å vi skal snart friske det opp igjen.

NORA. Ja, ta deg endelig av meg, Torvald. Vil du love meg det? Å, jeg er så engstelig. Det store selskap –. Du må ofre deg ganske for meg i aften. Ikke en smule forretninger; ikke en penn i hånden. Hva? Ikke sant, kjære Torvald?

HELMER. Det lover jeg deg; i aften skal jeg være helt og holdent til din tjeneste, – du lille hjelpeløse tingest. – Hm, det er sant, ett vil jeg dog først – *(går mot forstuedøren.)*

NORA. Hva vil du se der ute?

HELMER. Bare se om der skulle være kommet breve.

NORA. Nei, nei, gjør ikke det, Torvald!

HELMER. Hva nu?

NORA. Torvald, jeg ber deg; der er ingen.

HELMER. La meg dog se. *(vil gå.)*

NORA *(ved pianoet, slår de første takter av tarantellaen).*

HELMER *(ved døren, stanser).* Aha!

NORA. Jeg kan ikke danse i morgen hvis jeg ikke får prøve med deg.

HELMER *(går hen til henne).* Er du virkelig så bange, kjære Nora?

NORA. Ja, så umåtelig bange. La meg få prøve straks; der er ennu tid før vi går til bords. Å sett deg ned og spill for meg, kjære Torvald; rett på meg; veiled meg som du pleier.

HELMER. Gjerne, meget gjerne, siden du ønsker det. *(han setter seg ved pianoet.)*

NORA *(griper tamburinen ut av esken og likeledes et langt broket sjal, hvormed hun ilferdig draperer seg; derpå står hun med et sprang fremme på gulvet og roper):* Spill nu for meg! Nu vil jeg danse!

(Helmer spiller, og Nora danser; doktor Rank står ved pianoet bak Helmer og ser til.)

HELMER *(spillende).* Langsommere, – langsommere.

NORA. Kan ikke annerledes.

HELMER. Ikke så voldsomt, Nora!

NORA. Just så må det være.

HELMER *(holder opp).* Nei, nei, dette går aldeles ikke.

NORA *(ler og svinger tamburinen).* Var det ikke det jeg sa deg?

RANK. La meg spille for henne.

HELMER *(reiser seg)*. Ja gjør det; så kan jeg bedre veilede henne.

(Rank setter seg ved pianoet og spiller; Nora danser med stigende villhet. Helmer har stillet seg ved ovnen og henvender jevnlig under dansen rettende bemerkninger til henne; hun synes ikke å høre det; hennes hår løsner og faller ut over skuldrene; hun enser det ikke, men vedblir å danse. Fru Linde kommer inn.)

FRU LINDE *(står som målbundet ved døren)*. Ah –!

NORA *(under dansen)*. Her ser du løyer, Kristine.

HELMER. Men kjæreste beste Nora, du danser jo som om det gikk på livet løs.

NORA. Det gjør det jo også.

HELMER. Rank, hold opp; dette er jo den rene galskap. Hold opp, sier jeg.

(Rank holder opp å spille, og Nora stanser plutselig.)

HELMER *(hen til henne)*. Dette hadde jeg dog aldri kunnet tro. Du har jo glemt alt hva jeg har lært deg.

NORA *(kaster tamburinen fra seg)*. Der ser du selv.

HELMER. Nå, her må riktignok veiledning til.

NORA. Ja, du ser hvor nødvendig det er. Du må veilede meg like til det siste. Lover du meg det, Torvald?

HELMER. Det kan du trygt stole på.

NORA. Du skal ikke, hverken i dag eller i morgen, ha tanke for noe annet enn meg; du skal ikke åpne noe brev, – ikke åpne brevkassen –

HELMER. Aha, det er ennu angsten for dette menneske –

NORA. Å ja, ja, det også.

HELMER. Nora, jeg ser det på deg, der ligger alt brev fra ham.

NORA. Jeg vet ikke; jeg tror det; men du skal ikke lese slikt noe nu; det må ikke komme noe stygt inn imellom oss før all ting er forbi.

RANK *(sakte til Helmer)*. Du bør ikke si henne imot.

HELMER *(slår armene om henne)*. Barnet skal få sin vilje. Men i morgen natt, når du har danset –

NORA. Da er du fri.

STUEPIKEN *(i døren til høyre)*. Frue, bordet er dekket.
NORA. Vi vil ha champagne, Helene.
STUEPIKEN. Godt, frue. *(går ut.)*
HELMER. Ei, ei, – stort gilde altså?
NORA. Champagne-gilde til den lyse morgen. *(roper ut:)* Og litt makroner, Helene, mange, – for én gangs skyld.
HELMER *(tar hennes hender)*. Så, så, så; ikke denne oppskremte villhet. Vær nu min egen lille lerkefugl, som du pleier.
NORA. Å ja, det skal jeg nok. Men gå inn så lenge; og De også, doktor Rank. Kristine, du må hjelpe meg å få håret satt opp.
RANK *(sakte idet de går)*. Der er da vel aldri noe – sånt noe i vente?
HELMER. Å langtfra, kjære; det er slett ikke annet enn denne barnaktige angst som jeg fortalte deg om. *(de går inn til høyre.)*
NORA. Nu!?
FRU LINDE. Reist på landet.
NORA. Jeg så det på deg.
FRU LINDE. Han kommer hjem i morgen aften. Jeg skrev en seddel til ham.
NORA. Det skulle du latt være. Du skal ingenting forhindre. Det er dog i grunnen en jubel, dette her, å gå og vente på det vidunderlige.
FRU LINDE. Hva er det du venter på?
NORA. Å, det kan ikke du forstå. Gå inn til dem; nu kommer jeg på øyeblikket.
(Fru Linde går inn i spiseværelset.)
NORA *(står en stund liksom for å samle seg; derpå ser hun på sitt ur.)* Fem. Syv timer til midnatt. Så fireogtyve timer til neste midnatt. Da er tarantellaen ute. Fireogtyve og syv? Enogtredve timer å leve i.
HELMER *(i døren til høyre)*. Men hvor blir så lille lerkefuglen av?
NORA *(imot ham med åpne arme)*. Her er lerkefuglen!

TREDJE AKT

(Samme værelse. Sofabordet med stole omkring, er flyttet frem midt på gulvet. En lampe brenner på bordet. Døren til forstuen står åpen. Der høres dansemusikk fra etasjen ovenover.)

(Fru Linde sitter ved bordet og blar adspredt i en bok; forsøker å lese, men synes ikke å kunne holde tankene samlet; et par gange lytter hun spent mot ytterdøren.)

FRU LINDE *(ser på sitt ur)*. Ennu ikke. Og nu er det dog på den høyeste tid. Hvis han bare ikke – *(lytter igjen.)* Ah, der er han. *(hun går ut i forstuen og åpner forsiktig den ytre dør; der høres sakte skritt i trappen; hun hvisker:)* Kom inn. Her er ingen.

SAKFØRER KROGSTAD *(i døren)*. Jeg fant en seddel fra Dem hjemme. Hva skal dette her bety?

FRU LINDE. Jeg må nødvendig tale med Dem.

KROGSTAD. Så? Og det må nødvendig skje her i huset?

FRU LINDE. Hjemme hos meg var det umulig; mitt værelse har ikke egen inngang. Kom inn; vi er ganske alene; piken sover, og Helmers er på ball ovenpå.

KROGSTAD *(går inn i stuen)*. Se, se; Helmers danser i aften? Virkelig?

FRU LINDE. Ja, hvorfor ikke det?

KROGSTAD. Å nei, sant nok.

FRU LINDE. Ja, Krogstad, la oss så tale sammen.

KROGSTAD. Har da vi to noe mer å tale om?

FRU LINDE. Vi har meget å tale om.

KROGSTAD. Det trodde jeg ikke.

FRU LINDE. Nei, for De har aldri forstått meg riktig.

KROGSTAD. Var det noe annet å forstå enn det som er så ganske liketil i verden? En hjerteløs kvinne gir en mann løpepass når det tilbyr seg noe som er fordelaktigere.

FRU LINDE. Tror De at jeg er så aldeles hjerteløs? Og tror De at jeg brøt med lett hjerte?

KROGSTAD. Ikke det?

FRU LINDE. Krogstad, har De virkelig trodd det?

KROGSTAD. Hvis ikke så var, hvorfor skrev De da den gang til meg slik som De gjorde?

FRU LINDE. Jeg kunne jo ikke annet. Når jeg skulle bryte med Dem, var det jo også min plikt å utrydde hos Dem alt hva De følte for meg.

KROGSTAD *(knuger sine hender)*. Således altså. Og dette – dette bare for pengenes skyld!

FRU LINDE. De må ikke glemme at jeg hadde en hjelpeløs mor og to små brødre. Vi kunne ikke vente på Dem, Krogstad; med Dem hadde det jo så lange utsikter den gang.

KROGSTAD. La så være; men De hadde ikke rett til å forstøte meg for noe annet menneskes skyld.

FRU LINDE. Ja, jeg vet ikke. Mangen gang har jeg spurt meg selv om jeg hadde rett til det.

KROGSTAD *(saktere)*. Da jeg mistet Dem, var det som om all fast grunn gled bort under føttene på meg. Se på meg; nu er jeg en skibbrudden mann på et vrak.

FRU LINDE. Hjelpen torde være nær.

KROGSTAD. Den var nær; men så kom De og stillet Dem imellem.

FRU LINDE. Imot mitt vitende, Krogstad. Det var først i dag jeg fikk høre at det er Dem jeg skal avløse i banken.

KROGSTAD. Jeg tror Dem når De sier det. Men nu da De vet det, trer De så ikke tilbake?

FRU LINDE. Nei; for det ville dog ikke gavne Dem det minste.

KROGSTAD. Å gavne, gavne –; jeg ville gjøre det allikevel.

FRU LINDE. Jeg har lært å handle fornuftig. Livet og den hårde, bitre nødvendighet har lært meg det.

KROGSTAD. Og livet har lært meg ikke å tro på talemåter.

FRU LINDE. Da har livet lært Dem en meget fornuftig ting. Men på handlinger må De dog tro?

KROGSTAD. Hvorledes mener De det?

FRU LINDE. De sa De sto som en skibbrudden mann på et vrak.

KROGSTAD. Det hadde jeg vel god grunn til å si.

FRU LINDE. Jeg sitter også som en skibbrudden kvinne på et vrak. Ingen å sørge over, og ingen å sørge for.

KROGSTAD. De valgte selv.

FRU LINDE. Der var intet annet valg den gang.

KROGSTAD. Nå, men hva så?

FRU LINDE. Krogstad, hvis nu vi to skibbrudne mennesker kunne komme over til hinannen.

KROGSTAD. Hva er det De sier?

FRU LINDE. To på *ett* vrak står dog bedre en én på hver sitt.

KROGSTAD. Kristine!

FRU LINDE. Hvorfor tror De jeg kom hit til byen?

KROGSTAD. Skulle De ha hatt en tanke for meg?

FRU LINDE. Jeg må arbeide hvis jeg skal bære livet. Alle mine levedage, så lenge jeg kan minnes, har jeg arbeidet, og det har vært min beste og eneste glede. Men nu står jeg ganske alene i verden, så forferdelig tom og forlatt. Å arbeide for seg selv, er der jo ingen glede i. Krogstad, skaff meg noen og noe å arbeide for.

KROGSTAD. Dette tror jeg ikke på. Det er ikke annet enn overspent kvinnehøymod, som går hen og ofrer seg selv.

FRU LINDE. Har De noensinne merket at jeg var overspent?

KROGSTAD. Kunne De da virkelig dette? Si meg, – har De full rede på min fortid?

FRU LINDE. Ja.

KROGSTAD. Og vet De hva jeg her går og gjelder for?

FRU LINDE. Det lot på Dem før som om De mente at med meg kunne De være blitt en annen.

KROGSTAD. Det vet jeg så sikkert.

FRU LINDE. Skulle det ikke kunne skje ennu?

KROGSTAD. Kristine; – dette sier De med fullt overlegg! Ja, De gjør. Jeg ser det på Dem. Har De altså virkelig mot –?

FRU LINDE. Jeg trenger til noen å være mor for; og Deres børn trenger til en mor. Vi to trenger til hinannen. Krogstad, jeg har tro på grunnlaget i Dem; – jeg tør all ting sammen med Dem.

KROGSTAD *(griper hennes hender)*. Takk, takk, Kristine; – nu skal jeg også vite å reise meg i de andres øyne. – Ah, men jeg glemte –

FRU LINDE *(lytter)*. Hyss! Tarantellaen! Gå, gå!

KROGSTAD. Hvorfor? Hva er det?

FRU LINDE. Hører De den dans der oppe? Når den er ute, kan vi vente dem.

KROGSTAD. Å ja, jeg skal gå. Det er jo alt forgjeves. De kjenner naturligvis ikke til det skritt som jeg har foretatt imot Helmers.

FRU LINDE. Jo, Krogstad, jeg kjenner til det.

KROGSTAD. Og allikevel skulle De ha mot til –?

FRU LINDE. Jeg forstår godt hvorhen fortvilelsen kan drive en mann som Dem.

KROGSTAD. Å, hvis jeg kunne gjøre dette ugjort!

FRU LINDE. Det kunne De nok; for Deres brev ligger ennu i kassen.

KROGSTAD. Er De viss på det?

FRU LINDE. Ganske visst; men –

KROGSTAD *(ser forskende på henne)*. Skulle det være så å forstå? De vil frelse Deres venninne for enhver pris. Si det likeså god rent ut. Er det så?

FRU LINDE. Krogstad; den som *én* gang har solgt seg selv for andres skyld, gjør det ikke om igjen.

KROGSTAD. Jeg vil forlange mitt brev tilbake.

FRU LINDE. Nei, nei.

KROGSTAD. Jo naturligvis; jeg bier her til Helmer kommer ned; jeg sier ham at han skal gi meg mitt brev igjen, –

– at det bare dreier seg om min oppsigelse, – at han ikke skal lese det –

FRU LINDE. Nei, Krogstad, De skal ikke kalle brevet tilbake.

KROGSTAD. Men si meg, var det ikke egentlig derfor at De satte meg stevne her?

FRU LINDE. Jo, i den første forskrekkelse; men nu ligger der et døgn imellem, og det er utrolige ting jeg i den tid har vært vidne til her i huset. Helmer må få vite alt sammen; denne ulykksalige hemmelighet må for dagen; det må komme til full forklaring imellem de to; det kan umulig bli ved med alle disse fordølgelser og utflukter.

KROGSTAD. Nu vel; hvis De altså vover det –. Men *ett* kan jeg iallfall gjøre, og det skal gjøres straks –

FRU LINDE *(lytter)*. Skynd Dem! Gå, gå! Dansen er ute; vi er ikke trygge et øyeblikk lenger.

KROGSTAD. Jeg venter på Dem der nede.

FRU LINDE. Ja, gjør det; De må følge meg til porten.

KROGSTAD. Så utrolig lykkelig har jeg aldri vært før. *(han går ut gjennem ytterdøren; døren mellem værelset og forstuen blir fremdeles stående åpen.)*

FRU LINDE *(rydder litt opp og legger sitt yttertøy til rette)*. Hvilken vending! Ja, hvilken vending. Mennesker å arbeide for, – å leve for; et hjem å bringe hygge inn i. Nå, der skal riktignok tas fatt –. Gid de snart ville komme – *(lytter.)* Aha, der er de nok. Tøyet på. *(tar hatt og kåpe.)*

(Helmers og Noras stemmer høres utenfor; en nøkkel dreies om, og Helmer fører Nora nesten med makt inn i forstuen. Hun er kledd i det italienske kostyme med et stort sort sjal over seg; han er i selskapsdrakt med en åpen sort domino utenpå.)

NORA *(ennu i døren, motstrebende)*. Nei, nei, nei; ikke her inn! Jeg vil opp igjen. Jeg vil ikke gå så tidlig.

HELMER. Men kjæreste Nora –

NORA. Å jeg ber deg så bønnlig, Torvald; jeg ber deg så inderlig vakkert, – bare en time ennu!

HELMER. Ikke et eneste minutt, min søte Nora. Du vet det

var en avtale. Se så; inn i stuen; du står her og forkjøler deg. *(han fører henne, tross hennes motstand, lempelig inn i stuen.)*

FRU LINDE. God aften.

NORA. Kristine!

HELMER. Hva, fru Linde, er De her så sent?

FRU LINDE. Ja, unnskyld; jeg ville så gjerne se Nora pyntet.

NORA. Har du sittet her og ventet på meg?

FRU LINDE. Ja; jeg kom dessverre ikke betids nok; du var alt ovenpå; og så syntes jeg ikke jeg kunne gå igjen før jeg hadde sett deg.

HELMER *(tar Noras sjal av)*. Ja, se riktig på henne. Jeg skulle nok tro at hun er verd å se på. Er hun ikke deilig, fru Linde?

FRU LINDE. Jo, det må jeg si –

HELMER. Er hun ikke merkverdig deilig? Det var også den alminnelige mening i selskapet. Men forskrekkelig egensindig er hun, – den søte lille tingest. Hva skal vi gjøre ved det? Vil De tenke Dem, jeg måtte nesten bruke makt for å få henne av sted.

NORA. Å Torvald, du vil komme til å angre på at du ikke unte meg om det så bare var en halv time til.

HELMER. Der hører De, frue. Hun danser sin tarantella, – gjør stormende lykke, – som var vel fortjent, – skjønt der i foredraget kanskje var vel megen naturlighet; jeg mener, – litt mer enn der strengt tatt torde kunne forenes med kunstens fordringer. Men la gå! Hovedsaken er, – hun gjør lykke; hun gjør stormende lykke. Skulle jeg så la henne bli efter dette? Avsvekke virkningen? Nei takk; jeg tok min deilige Capripike – caprisiøse lille Capripike, kunne jeg si – under armen; en hurtig runde gjennem salen; en bøyning til alle sider, og – som det heter i romansproget – det skjønne syn er forsvunnet. En avslutning bør alltid være virkningsfull, fru Linde; men *det* er det meg ikke mulig å få gjort Nora begripelig. Puh, her er varmt her inne. *(kaster dominoen på en stol og åpner døren til sitt værelse.)* Hva? Der er jo mørkt. Å ja; naturligvis. Unnskyld – *(han går der inn og tenner et par lys.)*

NORA *(hvisker hurtig og åndeløst).* Nu?!

FRU LINDE *(sakte).* Jeg har talt med ham.

NORA. Og så –?

FRU LINDE. Nora, – du må si din mann alt sammen.

NORA *(tonløst).* Jeg visste det.

FRU LINDE. Du har ingenting å frykte for fra Krogstads side; men tale må du.

NORA. Jeg taler ikke.

FRU LINDE. Så taler brevet.

NORA. Takk, Kristine; jeg vet nu hva der er å gjøre. Hyss –!

HELMER *(kommer inn igjen).* Nå, frue, har De så beundret henne?

FRU LINDE. Ja; og nu vil jeg si god natt.

HELMER. Å hva, allerede? Er det Deres, det strikketøy?

FRU LINDE *(tar det).* Ja; takk; det hadde jeg så nær glemt.

HELMER. Strikker De altså?

FRU LINDE. Å ja.

HELMER. Vet De hva, De skulle heller brodere.

FRU LINDE. Så? Hvorfor det?

HELMER. Jo, for det er langt smukkere. Vil De se; man holder broderiet således med den venstre hånd, og så fører man med den høyre nålen – således – ut i en lett, langstrakt bue; ikke sant –?

FRU LINDE. Jo, det kan vel være –

HELMER. Mens derimot å strikke – det kan aldri bli annet enn uskjønt; se her; de sammenklemte arme, – strikkepinnene, som går opp og ned; – det har noe kinesisk ved seg. – Ah, det var virkelig en glimrende champagne der ble servert med.

FRU LINDE. Ja, god natt, Nora, og vær nu ikke egensindig mer.

HELMER. Vel talt, fru Linde!

FRU LINDE. God natt, herr direktør.

HELMER *(følger henne til døren)*. God natt, god natt; jeg håper da De slipper vel hjem? Jeg skulle så gjerne –; men det er jo ikke noe langt stykke De har å gå. God natt, god natt. *(hun går; han lukker efter henne og kommer inn igjen)*. Se så; endelig fikk vi henne da på døren. Hun er forskrekkelig kjedelig, det menneske.

NORA. Er du ikke meget trett, Torvald?

HELMER. Nei, ikke det minste.

NORA. Ikke søvnig heller?

HELMER. Aldeles ikke; jeg føler meg tvert imot umåtelig opplivet. Men du? Ja, du ser riktignok både trett og søvnig ut.

NORA. Ja, jeg er meget trett. Nu vil jeg snart sove.

HELMER. Ser du; ser du! Det var altså dog riktig av meg at vi ikke ble lenger.

NORA. Å, det er all ting riktig hva du gjør.

HELMER *(kysser henne på pannen)*. Nu taler lerkefuglen som om den var et menneske. Men la du merke til hvor lystig Rank var i aften?

NORA. Så? Var han det? Jeg fikk ikke tale med ham.

HELMER. Jeg nesten heller ikke; men jeg har ikke på lenge sett ham i så godt lune. *(ser en stund på henne; derpå kommer han nærmere.)* Hm, – det er dog herlig å være kommet hjem til seg selv igjen; å være ganske alene med deg. – Å du henrivende deilige unge kvinne!

NORA. Se ikke således på meg, Torvald!

HELMER. Skal jeg ikke se på min dyreste eiendom? På all den herlighet som er min, min alene, min hel og holden.

NORA *(går over på den annen side av bordet)*. Du skal ikke tale således til meg i natt.

HELMER *(følger efter)*. Du har ennu tarantellaen i blodet, merker jeg. Og det gjør deg enda mer forlokkende. Hør! Nu begynner gjestene å gå. *(saktere.)* Nora, – snart er det stille i hele huset.

NORA. Ja, det håper jeg.

HELMER. Ja, ikke sant, min egen elskede Nora? Å, vet du vel, – når jeg således er ute med deg i selskap, – vet du hvorfor jeg taler så lite til deg, holder meg så fjernt fra deg, bare sender deg et stjålent øyekast iblant, – vet du hvorfor jeg gjør det? Det er fordi jeg da biller meg inn at du er min hemmelige elskede, min unge hemmelige forlovede, og at ingen aner at det er noe imellem oss to.

NORA. Å ja, ja, ja; jeg vet jo nok at alle dine tanker er hos meg.

HELMER. Og når vi så skal gå, og jeg legger sjalet om dine fine ungdomsfulle skuldre, – om denne vidunderlige nakkebøyning, – da forestiller jeg meg at du er min unge brud, at vi nettopp kommer fra vielsen, at jeg for første gang er alene med deg, – ganske alene med deg, du unge skjelvende deilighet! Hele denne aften har jeg ikke hatt noen annen lengsel enn deg. Da jeg så deg jage og lokke i tarantellaen, – mitt blod kokte; jeg holdt det ikke lenger ut; derfor var det jeg tok deg med meg ned så tidlig –

NORA. Gå nu, Torvald! Du skal gå fra meg. Jeg vil ikke alt dette.

HELMER. Hva skal det si? Du leker nok spøkefugl med meg, lille Nora. Vil; vil? Er jeg ikke din mann –?

(det banker på ytterdøren.)

NORA *(farer sammen)*. Hørte du –?

HELMER *(mot forstuen)*. Hvem er det?

DOKTOR RANK *(utenfor)*. Det er meg. Tør jeg komme inn et øyeblikk?

HELMER *(sakte, fortredelig)*. Å hva vil han da nu? *(høyt.)* Vent litt. *(går hen og lukker opp.)* Nå, det er jo snilt at du ikke går vår dør forbi.

RANK. Jeg syntes jeg hørte din stemme, og så ville jeg dog gjerne se innom. *(lar øyet streife flyktig omkring.)* Akk ja; disse kjære kjente tomter. I har det lunt og hyggelig inne hos jer, I to.

HELMER. Det lot til at du hygget deg rett godt ovenpå også.

RANK. Fortrinlig. Hvorfor skulle jeg ikke det? Hvorfor skal man ikke ta all ting med i denne verden? Iallfall så meget man kan, og så lenge man kan. Vinen var fortreffelig –

HELMER. Champagnen især.

RANK. La du også merke til det? Det er nesten utrolig hvor meget jeg kunne skylle ned.

NORA. Torvald drakk også meget champagne i aften.

RANK. Så?

NORA. Ja; og da er han alltid så fornøyelig bakefter.

RANK. Nå, hvorfor skal man ikke ta seg en glad aften efter en vel anvendt dag?

HELMER. Vel anvendt; det tør jeg dessverre ikke rose meg av.

RANK *(slår ham på skulderen)*. Men det tør jeg, ser du!

NORA. Doktor Rank, De har visst foretatt en videnskapelig undersøkelse i dag.

RANK. Ja nettopp.

HELMER. Se, se; lille Nora taler om videnskapelige undersøkelser!

NORA. Og tør jeg ønske Dem til lykke med utfallet?

RANK. Ja så menn tør De så.

NORA. Det var altså godt?

RANK. Det best mulige både for lægen og pasienten, – visshet.

NORA *(hurtig og forskende)*. Visshet?

RANK. Full visshet. Skulle jeg så ikke ta meg en lystig aften bakefter?

NORA. Jo, det gjorde De rett i, doktor Rank.

HELMER. Det sier jeg med; bare du ikke kommer til å svi for det i morgen.

RANK. Nå, man får jo ikke noe for ingenting her i livet.

NORA. Doktor Rank, – De holder visst meget av maskerader?

RANK. Ja, når der er bra mange løyerlige forkledninger –

NORA. Hør her; hva skal vi to være på den neste maskerade?

HELMER. Du lille lettsindige, – tenker du nu alt på den neste!

RANK. Vi to? Jo, det skal jeg si Dem; De skal være lykkebarn –

HELMER. Ja, men finn på et kostyme som kan betegne *det*.

RANK. La din hustru møte som hun står og går igjennem verden –

HELMER. Det var virkelig treffende sagt. Men vet du ikke hva du selv vil være?

RANK. Jo, min kjære venn, det er jeg fullkommen på det rene med.

HELMER. Nå?

RANK. På neste maskerade vil jeg være usynlig.

HELMER. Det var et pussig innfall.

RANK. Der finnes en stor sort hatt –; har du ikke hørt tale om usynlighets-hatten? Den får en over seg, og så er der ingen som ser en.

HELMER *(med et undertrykt smil)*. Nei, det har du rett i.

RANK. Men jeg glemmer jo rent hva jeg kom for. Helmer, gi meg en sigar, en av de mørke Havanna.

HELMER. Med største fornøyelse. *(byr etuiet frem.)*

RANK *(tar en og skjærer spissen av)*. Takk.

NORA *(stryker en voksstikke av)*. La meg gi Dem ild.

RANK. Takk for det. *(hun holder stikken for ham; han tenner.)* Og så farvel!

HELMER. Farvel, farvel, kjære venn!

NORA. Sov godt, doktor Rank.

RANK. Takk for det ønske.

NORA. Ønsk meg det samme.

RANK. Dem? Nå ja, når De vil det –. Sov godt. Og takk for ilden. *(han nikker til dem begge og går.)*

HELMER *(dempet)*. Han hadde drukket betydelig.

NORA *(åndsfraværende)*. Kanskje det.

(Helmer tar sitt nøkleknippe opp av lommen og går ut i forstuen.)

NORA. Torvald – hva vil du der?

HELMER. Jeg må tømme brevkassen; den er ganske full; der blir ikke plass til avisene i morgen tidlig –

NORA. Vil du arbeide i natt?

HELMER. Det vet du jo jeg ikke vil. – Hva er det? Her har vært noen ved låsen.

NORA. Ved låsen –?

HELMER. Ja visst har der så. Hva kan det være? Jeg skulle

dog aldri tro at pikene –? Her ligger en avbrekket hårnål. Nora, det er din –

NORA *(hurtig)*. Så må det være børnene –

HELMER. Det må du sannelig venne dem av med. Hm, hm; – nå, der fikk jeg den opp allikevel. *(tar innholdet ut og roper ut i kjøkkenet.)* Helene? – Helene; slukk lampen i entréen. *(han går inn i værelset igjen og lukker døren til forstuen.)*

HELMER *(med brevene i hånden)*. Se her. Vil du se hvorledes det har opphopet seg. *(blar imellem.)* Hva er det for noe?

NORA *(ved vinduet)*. Brevet! Å nei, nei, Torvald!

HELMER. To visittkort – fra Rank.

NORA. Fra doktor Rank?

HELMER *(ser på dem)*. Doktor medicinæ Rank. De lå øverst; han må ha stukket dem inn da han gikk.

NORA. Står der noe på dem?

HELMER. Der står et sort kors over navnet. Se her. Det er dog et uhyggelig påfunn. Det er jo nettopp som han meldte sitt eget dødsfall.

NORA. Det gjør han også.

HELMER. Hva? Vet du noe? Har han sagt deg noe?

NORA. Ja. Når de kort kommer, så har han tatt avskjed med oss. Han vil lukke seg inne og dø.

HELMER. Min stakkars venn. Jeg visste jo at jeg ikke skulle få beholde ham lenge. Men så snart –. Og så gjemmer han seg bort som et såret dyr.

NORA. Når det *skal* skje, så er det best at det skjer uten ord. Ikke sant, Torvald?

HELMER *(går opp og ned)*. Han var så sammenvokset med oss. Jeg synes ikke jeg kan tenke meg ham borte. Han, med sine lidelser og med sin ensomhet, ga liksom en skyet bakgrunn for vår sollyse lykke. – Nå, det er kanskje best således. For ham iallfall. *(stanser.)* Og måskje også for oss, Nora. Nu er vi to ganske henvist til hinannen alene. *(slår armene om henne.)* Å, du min elskede hustru; jeg synes ikke jeg kan holde deg fast nok. Vet du vel, Nora, –

mangen gang ønsker jeg at en overhengende fare måtte true deg, for at jeg kunne vove liv og blod og alt, for din skyld.

NORA *(river seg løs og sier sterkt og besluttet)*. Nu skal du lese dine breve, Torvald.

HELMER. Nei, nei, ikke i natt. Jeg vil være hos deg, min elskede hustru.

NORA. Med dødstanken på din venn –?

HELMER. Du har rett. Dette har rystet oss begge; der er kommet uskjønnhet inn imellem oss; tanker om død og oppløsning. Dette må vi søke frigjørelse for. Inntil da –. Vil vi gå hver til sitt.

NORA *(om hans hals)*. Torvald, – god natt! God natt!

HELMER *(kysser henne på pannen)*. God natt, du min lille sangfugl. Sov godt, Nora. Nu leser jeg brevene igjennem. *(han går med pakken inn i sitt værelse og lukker døren efter seg.)*

NORA *(med forvillede øyne, famler omkring, griper Helmers domino, slår den omkring seg og hvisker hurtig, hest og avbrutt)*: Aldri se ham mer. Aldri. Aldri. *(kaster sitt sjal over hodet.)* Aldri se børnene mer heller. Ikke dem heller. Aldri; aldri. – Å, det iskolde sorte vann. Å, det bunnløse –; dette –. Å, når det bare var over. – Nu har han det; nu leser han det. Å nei, nei; ikke ennu. Torvald, farvel du og børnene –

(Hun vil styrte ut gjennem forstuen; i det samme river Helmer sin dør opp og står der med et åpnet brev i hånden.)

HELMER. Nora!

NORA *(skriker høyt)*. Ah –!

HELMER. Hva er det? Vet du hva der står i dette brev?

NORA. Ja, jeg vet det. La meg gå! La meg komme ut!

HELMER *(holder henne tilbake)*. Hvor vil du hen?

NORA *(prøver å rive seg løs)*. Du skal ikke redde meg, Torvald!

HELMER *(tumler tilbake)*. Sant! Er det sant hva han skriver?

Forferdelig! Nei, nei; det er jo umulig at dette kan være sant.

NORA. Det er sant. Jeg har elsket deg over alt i verdens rike.

HELMER. Å kom ikke her med tåpelige utflukter.

NORA *(et skritt imot ham)*. Torvald –!

HELMER. Du ulykksalige, – hva er det du har foretatt deg!

NORA. La meg komme bort. Du skal ikke bære det for min skyld. Du skal ikke ta det på deg.

HELMER. Ikke noe komediespill. *(låser forstuedøren av.)* Her blir du og står meg til regnskap. Forstår du hva du har gjort? Svar meg! Forstår du det?

NORA *(ser ufravendt på ham og sier med et stivnende uttrykk):* Ja, nu begynner jeg å forstå det til bunns.

HELMER *(går omkring på gulvet)*. Å hvor forferdelig jeg er våknet opp. I alle disse åtte år, – hun som var min lyst og stolthet, – en hyklerske, en løgnerske, – verre, verre, – en forbryterske! – Å, denne bunnløse heslighet, som ligger i alt dette! Fy, fy!

NORA *(tier og ser fremdeles ufravendt på ham)*.

HELMER *(stanser foran henne)*. Jeg burde ha anet at noe slikt ville skje. Jeg burde ha forutsett det. Alle din fars lettsindige grunnsetninger. – Ti! Alle din fars lettsindige grunnsetninger har du tatt i arv. Ingen religion, ingen moral, ingen pliktfølelse –. Å, hvor jeg er blitt straffet for at jeg så igjennem fingrene med ham. For din skyld gjorde jeg det; og således lønner du meg.

NORA. Ja, således.

HELMER. Nu har du ødelagt hele min lykke. Hele min fremtid har du forspilt for meg. Å, det er forferdelig å tenke på. Jeg er i et samvittighetsløst menneskes vold; han kan gjøre med meg hva han vil, forlange av meg hva det skal være, byde og befale over meg som det lyster ham; – jeg tør ikke kny. Og så jammerlig må jeg synke ned og gå til grunne for en lettsindig kvinnes skyld!

NORA. Når jeg er ute av verden, så er du fri.

HELMER. Å ingen fakter. Slike talemåter hadde din far også på rede hånd. Hva ville det nytte meg at du var ute av verden, som du sier? Ikke det ringeste ville det nytte meg. Han kan gjøre saken bekjent allikevel; og gjør han det, så blir jeg kanskje mistenkt for å ha vært vitende om din forbryterske handling. Man vil kanskje tro at jeg har stått bakved, – at det er meg som har tilskyndet deg! Og alt dette kan jeg takke deg for, deg, som jeg har båret på hendene gjennem hele vårt ekteskap. Forstår du nu hva du har gjort imot meg?

NORA *(med kold ro)*. Ja.

HELMER. Dette er så utrolig at jeg ikke kan fastholde det. Men vi må se å komme til rette. Ta sjalet av. Ta det av, sier jeg! Jeg må se å tilfredsstille ham på en eller annen måte. Saken må dysses ned for enhver pris. – Og hva deg og meg angår, så må det se ut som om alt var imellem oss liksom før. Men naturligvis kun for verdens øyne. Du blir altså fremdeles her i huset; det er en selvfølge. Men børnene får du ikke lov til å oppdra; dem tør jeg ikke betro deg –. Å, å måtte si dette til henne som jeg har elsket så høyt, og som jeg ennu –! Nå, det må være forbi. Her efter dags gjelder det ikke lenger lykken; det gjelder bare å redde restene, stumpene, skinnet. *(det ringer på entréklokken.)*

HELMER *(farer sammen)*. Hva er det? Så sent. Skulle det forferdeligste –! Skulle han –! Skjul deg, Nora! Si du er syk.

(Nora blir stående ubevegelig. Helmer går hen og åpner forstuedøren.)

STUEPIKEN *(halvt avkledd i forstuedøren)*. Her kom et brev til fruen.

HELMER. Gi meg det. *(griper brevet og lukker døren.)* Ja, det er fra ham. Du får det ikke; jeg vil selv lese det.

NORA. Les du.

HELMER *(ved lampen)*. Jeg har neppe mot til det. Kanskje er vi fortapt, både du og jeg. Nei; jeg *må* vite det. *(bryter brevet ilsomt; løper noen linjer igjennem; ser på et innlagt papir; et gledesskrik:)* Nora!

NORA *(ser spørrende på ham).*

HELMER. Nora! – Nei; jeg må lese det ennu en gang. – Jo, jo; så er det. Jeg er frelst! Nora, jeg er frelst!

NORA. Og jeg?

HELMER. Du også, naturligvis; vi er frelst begge to, både du og jeg. Se her. Han sender deg ditt gjeldsbevis tilbake. Han skriver at han fortryder og angrer –; at et lykkelig omslag i hans liv –; å, det kan jo være det samme hva han skriver. Vi er frelst, Nora! Der er ingen som kan gjøre deg noe. Å, Nora, Nora –; nei, først alt dette avskyelige ut av verden. La meg se – *(kaster et blikk på forskrivningen.)* Nei, jeg vil ikke se det; det skal ikke være for meg annet enn en drøm alt sammen. *(river beviset og begge brevene i stykker og kaster det hele inn i ovnen og ser på det mens det brenner.)* Se så; nu er det ikke mer til. – Han skrev at du siden julaften –. Å, det må ha vært tre forferdelige dage for deg, Nora.

NORA. Jeg har kjempet en hård strid i disse tre dage.

HELMER. Og våndet deg, og ikke øynet annen utvei enn –. Nei; vi vil ikke minnes alt dette heslige. Vi kan kun juble og gjenta: det er over; det er over! Hva er det dog for noe – dette stivnede uttrykk? Å stakkars lille Nora, jeg forstår det nok; du synes ikke du kan tro på at jeg har tilgitt deg. Men det har jeg, Nora; jeg sverger deg til: jeg har tilgitt deg alt. Jeg vet jo, at hva du gjorde, det gjorde du av kjærlighet til meg.

NORA. Det er sant.

HELMER. Du har elsket meg som en hustru bør elske sin mann. Det var kun midlene som du ikke hadde innsikt nok til å dømme om. Men tror du at du er meg mindre kjær fordi du ikke forstår å handle på egen hånd? Nei, nei; støtt du deg bare til meg; jeg skal råde deg; jeg skal veilede deg. Jeg måtte ikke være en mann hvis ikke nettopp denne kvinnelige hjelpeløshet gjorde deg dobbelt tiltrekkende i mine øyne. Du skal ikke feste deg ved de hårde ord jeg sa i den første forferdelse, da jeg syntes alt måtte styrte sammen over meg. Jeg har tilgitt deg, Nora; jeg sverger deg til jeg har tilgitt deg.

NORA. Jeg takker deg for din tilgivelse. *(hun går ut gjennem døren til høyre.)*

HELMER. Nei, bli –. *(ser inn.)* Hva vil du der i alkoven?

NORA *(innenfor)*. Kaste maskeradedrakten.

HELMER *(ved den åpne dør)*. Ja, gjør det; se å komme til ro og få samlet ditt sinn til likevekt igjen, du min lille forskremte sangfugl. Hvil du deg trygt ut; jeg har brede vinger til å dekke deg med. *(går omkring i nærheten av døren.)* Å, hvor vårt hjem er lunt og smukt, Nora. Her er ly for deg; her skal jeg holde deg som en jaget due, jeg har fått reddet uskadd ut av høkens klør; jeg skal nok bringe ditt stakkars klappende hjerte til ro. Litt efter litt vil det skje, Nora; tro du meg. I morgen vil alt dette se ganske annerledes ut for deg; snart vil all ting være liksom før; jeg skal ikke lenge behøve å gjenta for deg at jeg har tilgitt deg; du vil selv usvikelig føle at jeg har gjort det. Hvor kan du tenke det skulle kunne falle meg inn å ville forstøte deg, eller blott bebreide deg noe? Å, du kjenner ikke en virkelig manns hjertelag, Nora. Det er for en mann noe så ubeskrivelig søtt og tilfredsstillende i dette å vite med seg selv at han har tilgitt sin hustru, – at han har tilgitt henne av fullt og oppriktig hjerte. Hun er jo derved liksom i dobbelt forstand blitt hans eiendom; han har liksom satt henne inn i verden på ny; hun er på en måte blitt både hans hustru og hans barn tillike. Således skal du være for meg her efter dags, du lille rådville, hjelpeløse vesen. Engst deg ikke for noen ting, Nora; bare åpenhjertig imot meg, så skal jeg være både din vilje og din samvittighet. – Hva er det? Ikke til sengs? Har du kledd deg om?

NORA *(i sin hverdagskjole)*. Ja, Torvald, nu har jeg kledd meg om.

HELMER. Men hvorfor, nu, så sent –?

NORA. I natt sover jeg ikke.

HELMER. Men, kjære Nora –

NORA *(ser på sitt ur)*. Klokken er ennu ikke så mange. Sett deg her, Torvald; vi to har meget å tale sammen. *(hun setter seg ved den ene side av bordet.)*

HELMER. Nora, – hva er dette her? Dette stivnede uttrykk –

NORA. Sett deg ned. Det blir langt. Jeg har meget å tale med deg om.

HELMER *(setter seg ved bordet like overfor henne)*. Du engster meg, Nora. Og jeg forstår deg ikke.

NORA. Nei, det er det just. Du forstår meg ikke. Og jeg har heller aldri forstått deg – før i aften. Nei, du skal ikke avbryte meg. Du skal bare høre på hva jeg sier. – Dette er et oppgjør, Torvald.

HELMER. Hvorledes mener du det?

NORA *(efter en kort taushet)*. Er deg ikke *én* ting påfallende, således som vi sitter her?

HELMER. Hva skulle det være?

NORA. Vi har nu vært gift i åtte år. Faller det deg ikke inn at det er første gang vi to, du og jeg, mann og kone, taler alvorlig sammen?

HELMER. Ja, alvorlig, – hva vil det si?

NORA. I åtte samfulle år, – ja lenger, – like fra vårt første bekjentskap, har vi aldri vekslet et alvorlig ord om alvorlige ting.

HELMER. Skulle jeg da idelig og alltid innvie deg i bekymringer som du dog ikke kunne hjelpe meg å bære?

NORA. Jeg taler ikke om bekymringer. Jeg sier vi har aldri sittet i alvor sammen for å søke å komme til bunns i noe.

HELMER. Men, kjæreste Nora, ville da det ha vært for deg?

NORA. Der er vi ved saken. Du har aldri forstått meg. – Der er øvet megen urett imot meg, Torvald. Først av pappa og siden av deg.

HELMER. Hva! Av oss to, – av oss to der har elsket deg høyere enn alle andre mennesker?

NORA *(ryster på hodet)*. I har aldri elsket meg. I har bare syntes det var fornøyelig å være forelsket i meg.

HELMER. Men Nora, hva er dette for ord?

NORA. Ja, det er nu så, Torvald. Da jeg var hjemme hos pappa, så fortalte han meg alle sine meninger, og så hadde jeg de samme meninger; og hvis jeg hadde andre, så skjulte jeg det; for det ville han ikke ha likt. Han kalte meg sitt dukkebarn, og han lekte med meg som jeg lekte med mine dukker. Så kom jeg i huset til deg –

HELMER. Hva er det for uttrykk du bruker om vårt ekteskap?

NORA *(uforstyrret)*. Jeg mener, så gikk jeg fra pappas hender over i dine. Du innrettet all ting efter din smak, og så fikk jeg den samme smak som du; eller jeg lot bare så; jeg vet ikke riktig –; jeg tror det var begge dele; snart det ene og snart det annet. Når jeg nu ser på det, så synes jeg jeg har levet her som et fattig menneske – bare fra hånden til munnen. Jeg har levet av å gjøre kunster for deg, Torvald. Men du ville jo ha det så. Du og pappa har gjort stor synd imot meg. I er skyld i at der ikke er blitt noe av meg.

HELMER. Nora, hvor du er urimelig og utakknemlig! Har du ikke vært lykkelig her?

NORA. Nei, det har jeg aldri vært. Jeg trodde det; men jeg har aldri vært det.

HELMER. Ikke – ikke lykkelig!

NORA. Nei; bare lystig. Og du har alltid vært så snill imot meg. Men vårt hjem har ikke vært annet enn en lekestue. Her har jeg vært din dukkehustru, liksom jeg hjemme var pappas dukkebarn. Og børnene, de har igjen vært mine dukker. Jeg syntes det var fornøyelig når du tok og lekte med meg, liksom de syntes det var fornøyelig når jeg tok og lekte med dem. Det har vært vårt ekteskap, Torvald.

HELMER. Det er noe sant i hva du sier, – så overdrevent og overspent det enn er. Men herefter skal det bli annerledes. Lekens tid skal være forbi; nu kommer oppdragelsens.

NORA. Hvis oppdragelse? Min eller børnenes?

HELMER. Både din og børnenes, min elskede Nora.

NORA. Akk, Torvald, du er ikke mann for å oppdra meg til en rett hustru for deg.

HELMER. Og det sier du?

NORA. Og jeg, – hvorledes er jeg forberedt til å oppdra børnene?

HELMER. Nora!

NORA. Sa du det ikke selv for en stund siden, – den oppgave torde du ikke betro meg.

HELMER. I oppbrusningens øyeblikk! Hvor vil du akte på det?

NORA. Jo; det var meget riktig sagt av deg. Jeg makter ikke den oppgave. Der er en oppgave som må løses først. Jeg må se å oppdra meg selv. Det er du ikke mann for å hjelpe meg med. Det må jeg være alene om. Og derfor reiser jeg nu fra deg.

HELMER *(springer opp)*. Hva var det du sa?

NORA. Jeg må stå ganske alene hvis jeg skal få rede på meg selv og på alle ting utenfor. Derfor kan jeg ikke bli hos deg lenger.

HELMER. Nora, Nora!

NORA. Jeg vil gå herfra nu straks. Kristine tar nok imot meg for i natt –

HELMER. Du er avsindig! Du får ikke lov! Jeg forbyr deg det!

NORA. Det kan ikke nytte å forby meg noe herefter. Jeg tar med meg hva der tilhører meg selv. Av deg vil jeg ingenting ha, hverken nu eller senere.

HELMER. Hvilket vanvidd er dog dette!

NORA. I morgen reiser jeg hjem, – jeg mener, til mitt gamle hjemsted. Der vil det være lettest for meg å komme inn i et eller annet.

HELMER. Å du forblindede, uerfarne skapning.

NORA. Jeg må se å *få* erfaring, Torvald.

HELMER. Forlate ditt hjem, din mann og dine børn! Og du tenker ikke på hva folk vil si.

NORA. Det kan jeg ikke ta noe hensyn til. Jeg vet bare det blir nødvendig for meg.

HELMER. Å, det er opprørende. Således kan du svikte dine helligste plikter.

NORA. Hva regner du da for mine helligste plikter?

HELMER. Og det skal jeg behøve å si deg! Er det ikke pliktene imot din mann og dine børn?

NORA. Jeg har andre likså hellige plikter.

HELMER. Det har du ikke. Hvilke plikter skulle *det* være.

NORA. Pliktene imot meg selv.

HELMER. Du er først og fremst hustru og mor.

NORA. Det tror jeg ikke lenger på. Jeg tror at jeg er først og fremst et menneske, jeg, likså vel som du, – eller iallfal at jeg skal forsøke på å bli det. Jeg vet nok at de fleste gir deg rett, Torvald, at det står noe slikt i bøkene. Men jeg kan ikke lenger la meg nøye med hva de fleste sier, og hva der står i bøkene. Jeg må selv tenke over de ting og se å få rede på dem.

HELMER. Du skulle ikke ha rede på din stilling i ditt eget hjem? Har du ikke i sånne spørsmål en usvikelig veileder? Har du ikke religionen?

NORA. Akk, Torvald, jeg vet jo slett ikke riktig hva religionen er.

HELMER. Hva er det du sier!

NORA. Jeg vet jo ikke annet enn hva presten Hansen sa da jeg gikk til konfirmasjonen. Han fortale at religionen var *det* og *det*. Når jeg kommer bort fra alt dette her og blir ensom, så vil jeg undersøke den sak også. Jeg vil se om det var riktig hva presten Hansen sa, eller iallfall om det er riktig for *meg*.

HELMER. Å, slikt er dog uhørt av en så ung kvinne! Men kan ikke religionen rettlede deg, så la meg dog ryste opp i din samvittighet. For moralsk følelse har du dog? Eller, svar meg, – har du kanskje ingen?

NORA. Ja, Torvald, det er ikke godt å svare på det. Jeg vet det jo slett ikke. Jeg er ganske i villrede med de ting. Jeg vet bare at jeg har en ganske annen mening om slikt noe enn du. Jeg hører også nu at lovene er annerledes enn jeg tenkte; men at de love skulle være riktige, det kan jeg umulig få i mitt hode. En kvinne skal altså ikke ha rett til å skåne sin gamle døende far, eller til å redde sin manns liv! Slikt tror jeg ikke på.

HELMER. Du taler som et barn. Du forstår ikke det samfunn du lever i.

NORA. Nei, det gjør jeg ikke. Men nu vil jeg sette meg inn i det. Jeg må se å komme efter hvem der har rett, samfunnet eller jeg.

HELMER. Du er syk, Nora; du har feber; jeg tror nesten du er fra sans og samling.

NORA. Jeg har aldri følt meg så klar og sikker som i natt.

HELMER. Og klar og sikker forlater du din mann og dine børn?

NORA. Ja; det gjør jeg.

HELMER. Så er kun *én* forklaring mulig.

NORA. Hvilken?

HELMER. Du elsker meg ikke mer.

NORA. Nei, det er just tingen.

HELMER. Nora! – Og det sier du!

NORA. Å, det gjør meg så ondt, Torvald; for du har alltid vært så snill imot meg. Men jeg kan ikke gjøre ved det. Jeg elsker deg ikke mer.

HELMER *(med tilkjempet fatning)*. Er dette også en klar og sikker overbevisning?

NORA. Ja, fullkommen klar og sikker. Det er derfor jeg ikke vil være her lenger.

HELMER. Og vil du også kunne gjøre meg rede for hvorved jeg har forspilt din kjærlighet?

NORA. Ja, det kan jeg godt. Det var i aften da det vidunderlige ikke kom; for da så jeg at du ikke var den mann jeg hadde tenkt meg.

HELMER. Forklar deg nøyere; jeg begriper deg ikke.

NORA. Jeg har ventet så tålmodig nu i åtte år; for Herregud, jeg innså jo nok at det vidunderlige kommer ikke sånn til hverdags. Så brøt dette knusende inn over meg; og da var jeg så usvikelig viss på: nu kommer det vidunderlige. Da Krogstads brev lå der ute, – aldri falt det meg med en tanke inn at du kunne ville bøye deg under dette menneskes vilkår. Jeg var så usvikelig viss på at du ville si til ham: gjør saken bekjent for hele verden. Og når det var skjedd –

HELMER. Ja hva så? Når jeg hadde prisgitt min egen hustru til skam og skjensel –!

NORA. Når det var skjedd, da tenkte jeg så usvikelig sikkert at du ville tre frem og ta alt på deg og si: jeg er den skyldige.

HELMER. Nora –!

NORA. Du mener at jeg aldri ville tatt imot et slikt offer av deg? Nei, det forstår seg. Men hva ville mine forsikringer gjelde like overfor dine? – *Det* var det vidunderlige som jeg gikk og håpet på i redsel. Og for å hindre *det,* var det at jeg ville ende mitt liv.

HELMER. Jeg skulle gladelig arbeide netter og dage for deg, Nora, – bære sorg og savn for din skyld. Men der er ingen som ofrer sin *ære* for den man elsker.

NORA. Det har hundre tusen kvinner gjort.

HELMER. Å, du både tenker og du taler som et uforstandig barn.

NORA. La gå. Men du hverken tenker eller taler som den mann jeg skal kunne slutte meg til. Da din forskrekkelse var over, – ikke for hva der truet *meg,* men for hva du selv var utsatt for, og da hele faren var forbi, – da var det for deg som om slett ingen ting var skjedd. Jeg var akkurat som før din lille sanglerke, din dukke, som du herefter skulle bære dobbelt varlig på hendene, siden den var så skjør og skrøpelig. *(reiser seg.)* Torvald, – i den stund gikk det opp for meg at jeg i åtte år hadde levet her sammen med en fremmed mann, og at jeg hadde fått tre børn –. Å jeg tåler ikke å tenke på det! Jeg kunne rive meg selv i stumper og stykker.

HELMER *(tungt).* Jeg ser det; jeg ser det. Der er visselig kommet en avgrunn imellem oss. – Å, men, Nora, skulle den ikke kunne utfylles?

NORA. Således som jeg nu er, er jeg ingen hustru for deg.

HELMER. Jeg har kraft til å bli en annen.

NORA. Måskje, – hvis dukken tas fra deg.

HELMER. Å skilles – skilles fra deg! Nei, nei, Nora, jeg kan ikke fatte den tanke.

NORA *(går inn til høyre)*. Dess vissere må det skje. *(hun kommer tilbake med sitt yttertøy og en liten vadsekk, som hun setter på stolen ved bordet.)*

HELMER. Nora, Nora, ikke nu! Vent til i morgen.

NORA *(tar kåpen på)*. Jeg kan ikke bli liggende natten over i en fremmed manns værelser.

HELMER. Men kan vi da ikke bo her som bror og søster –?

NORA *(binder hatten fast)*. Du vet meget godt det ville ikke vare lenge –. *(slår sjalet om seg.)* Farvel, Torvald. Jeg vil ikke se de små. Jeg vet de er i bedre hender enn mine. Således som jeg nu er, kan jeg ingen ting være for dem.

HELMER. Men en gang, Nora, – en gang –?

NORA. Hvor kan jeg vite det? Jeg vet jo slett ikke hva der blir ut av meg.

HELMER. Men du er min hustru, både som du er, og som du blir.

NORA. Hør, Torvald; – når en hustru forlater sin manns hus, således som jeg nu gjør, så har jeg hørt at han efter loven er løst fra alle forpliktelser imot henne. Jeg løser deg iallfall fra enhver forpliktelse. Du skal ikke føle deg bundet ved noe, like så litt som jeg vil være det. Der må være full frihet på begge sider. Se her har du din ring tilbake. Gi meg min.

HELMER. Også dette?

NORA. Dette også.

HELMER. Her er den.

NORA. Så. Ja, nu er det altså forbi. Her legger jeg nøklene. Om alle saker i huset vet pikene bekjed – bedre enn jeg. I morgen, når jeg er reist, kommer Kristine her hen for å pakke sammen de ting som er min eiendom hjemmefra. Det vil jeg ha sendt efter meg.

HELMER. Forbi; forbi! Nora, vil du aldri mer tenke på meg?

NORA. Jeg kommer visst ofte til å tenke på deg og på børnene og på huset her.

HELMER. Må jeg skrive deg til, Nora?

NORA. Nei, – aldri. Det får du ikke lov til.

HELMER. Å, men sende deg må jeg dog –

NORA. Intet; intet.

HELMER. – hjelpe deg hvis du skulle behøve det.

NORA. Nei, sier jeg. Jeg mottar ingen ting av fremmede.

HELMER. Nora, – kan jeg aldri bli mer enn en fremmed for deg?

NORA *(tar sin vadsekk)*. Akk, Torvald, da måtte det vidunderligste skje. –

HELMER. Nevn meg dette vidunderligste!

NORA. Da måtte både du og jeg forvandle oss således at –. Å, Torvald, jeg tror ikke lenger på noe vidunderlig.

HELMER. Men jeg vil tro på det. Nevn det! Forvandle oss således at –?

NORA. At samliv mellom oss to kunne bli et ekteskap. Farvel. *(hun går ut gjennem forstuen.)*

HELMER *(synker ned på en stol ved døren og slår hendene for ansiktet)*. Nora! Nora! *(ser seg om og reiser seg.)* Tomt. Hun er her ikke mer. *(et håp skyter opp i ham.)* Det vidunderligste –?!

(nedenfra høres drønnet av en port som slås i lås.)

Ordforklaringer

FØRSTE AKT

pianoforte – piano.
stentøysovn – gammeldags ovn, kledd med steintøyfliser.
kobberstikk – grafisk blad, avtrykk av gravert kobberplate.
etagère – lite, spinkelt pyntemøbel med åpne hyller i etasjer over hverandre.
makroner – småkaker av mandelmasse.
est – latinsk form for er, her brukt spøkefullt høytidelig.
fordektig – hemmelighetsfull.
drille – erte.
I – *dere* – gammelt tiltalepronomen, 2. pers. flertall. Avbøyningsform jer.
befordring – forfremmelse, opprykking.
skilling – gammel fellesnordisk myntenhet; i Norge 1816–1877 var den verd 3½ øre.
spesier – spesidaler, stor sølvmynt til ca. 4 kroners verdi, var hovedmynt i Norge til kronemynten ble innført i 1870-årene. Etter vår tids pengeverdi ville 1200 spesier svare til anslagsvis 40 000 kroner.
forkler meg – kler meg ut.
arkskrift – avskriftarbeid som ble betalt pr. ark.
datum in blanco – dato ikke utfylt.
har jeg erkyndighet meg om – har jeg undersøkt.
en besynderlighet – noe merkelig, påfallende.

ANNEN AKT

tarantella – rivende hurtig italiensk dans i 6/8 takt til tamburin eller kastanjetter.
moralske brøst – moralske svikt, feil.
vinkelskriver – lyssky jurist som hensynsløst utnytter lovens bokstav.
tamburin – flat liten tromme som i Middelhavsområdet brukes

til dans. Den er forsynt med små bjeller som klinger når danseren slår på den eller rister den i luften.
miserableste – elendigste.
status – latin: tilstand, forfatning.
bankerott – fallitt.
trøfler – velsmakende matsopper som vokser under jorden.
forvinne – komme over.
nett herre – i dag ville det hett: nydelig herre.
for stetse – for alltid.
pikekammeret – hushjelpværelset.
hold ham opp – opphold ham.
inkassator – person som krever inn penger for andres regning.
forskrivning – falskskriving, papiret med den falske underskrift.
ilferdig – hurtig.
jevnlig – stadig.

TREDJE AKT

torde være – er kanskje.
Det lot på Dem som – Det hørtes på Dem som –
domino – lang maskeradekappe.
kaprisiøs – uberegnelig, lunefull.
fortredelig – ergerlig.
voksstikke – fyrstikk.

Veiledning

«Et Dukkehjem», publisert 4. desember 1879, er Ibsens første betydelige samtidsskuespill og det verk som grunnla hans verdensry som dramatiker.

Man kan peke på en rekke ytre forutsetninger for stykket. Det ble til i kvinneemansipasjonens kamptid, i en tid da diskusjonen om kvinnens stilling i samfunnet var et stående tema i den offentlige debatt. John Stuart Mills bok «The Subjection of Women» var kommet i dansk oversettelse ved Georg Brandes i 1869 og hadde vakt stor oppsikt i hele Norden. Kvinnesakens to første forkjempere i Norge, Camilla Collett og Aasta Hansteen, hadde Ibsen personlige inntrykk av. Da han besøkte hjemlandet sommeren 1874, ble han vitne til hvorledes Aasta Hansteen forarget Christianias gode borgerskap ved sin mannhaftige opptreden og sine flammende skrifter om kvinnens rettigheter. Og allerede i midten av 1850-årene hadde Camilla Collett med romanen «Amtmandens Døtre» levert sitt vektige litterære bidrag til kvinnenes åndelige frigjøring. Boken kan vanskelig ha vært ukjent for Ibsen – om han ikke selv hadde lest den, hadde han nok hørt tale om den av sin hustru Suzannah, som tidlig var blitt vunnet for kvinnesakens idéer. Forfatterinnen var også en personlig bekjent av Ibsens; særlig da de bodde samtidig i München våren 1877, sås de ofte. Den kvinnelige personlighet ble et naturlig samtaleemne dem imellom – det fortelles at Ibsen ofte moret seg med å fremsette erkekonservative synspunkter overfor fru Collett, for riktig å få henne på glid (1).

Resultatet av disse påvirkningene viste seg da Ibsen

personlig opptrådte som talsmann for kvinnebevegelsen. Det skjedde i Den Skandinaviske Forening i Roma, der han vinteren 1879 fremsatte forslag om å gi stemmerett også til de kvinnelige medlemmer av foreningen. I sin begrunnelse for forslaget talte han kvinnens sak med kraft og varme: «Er der nogen i denne forsamling,» spurte han, «som tør påstå at vore damer står under os alle i dannelse eller i intelligens eller i kundskaber eller i kunstnerisk begavelse? . . . hvad er det man frygter for? Er det kanske damernes formentlige upraktiskhed i forretningssager? . . . det jeg frygter for det er mændene med de små opgaver og de små tanker, mændene med de smålige hensyn og de små ængstelser, disse mænd, der indretter alt deres tænkesæt og alle deres handlinger på at opnå visse små fordele for deres allerunderdanigste små personligheder.» Opp mot dem stiller han kvinnenes «geniale instinkt, som ubevidst træffer det rette» – et instinkt de har felles med ungdommen og med den sanne kunstner. (2)

Disse Ibsens tanker om en grunnleggende forskjell mellom den kvinnelige og den mannlige natur hadde fått ytterligere næring gjennom en ulykkelig kvinneskjebne han fikk kjennskap til i de nærmest foregående år – Laura Kielers ekteskapstragedie.

Da Ibsen midt i 1860-årene hadde utgitt sitt versdrama «Brand», ble en ung norsk pike, Laura Pettersen, så grepet og rystet av verket at hun forfattet enslags fortsettelse av det, romanen «Brands Døtre», hvor hun forfektet et mildere kristendomssyn enn det som var kommet til uttrykk i Ibsens drama. Hun sendte boken til dikteren og fikk et vennlig svar, og i den senere brevveksling mellom dem oppmuntret han henne til å fortsette på forfatterbanen. Da de møttes personlig, kalte han henne for «lerkefuglen», på grunn av hennes lyse og muntre vesen. I 1873 inngikk hun ekteskap med den danske adjunkt Victor Kieler – et ekteskap som snart kom til å bli meget problemfylt. Mannen ble syk av tuberkulose, og hustruen fikk av legene beskjed om at bare et kuropphold i Syden kunne redde hans liv. Uten sin manns vitende opptok hun da et lån hun håpet å kunne tilbakebetale gjennom sin litterære virksomhet. Ekteparet dro til Syden og mannen ble frisk, mens hustruens liv fra nå av kom til å arte seg som en kamp for å betale renter og avdrag på gjelden. Hun satte sitt håp til en ny bok hun hadde skrevet, og sendte manuskriptet til Ibsen for å få det bedømt, men han frarådet henne bestemt å la det trykke. Fru Kieler turde fremdeles intet røpe for sin mann som var en impulsiv og oppfarende natur. I sin fortvilelse prøvde hun å skaffe penger ved å skrive en falsk veksel, men forholdet ble oppdaget, og sannheten kom hennes mann for øre. Han ble rasende, forlangte skilsmisse fra sin hustru og tok deres barn fra henne; hun fikk nervesammenbrudd og ble for en tid innlagt på sinnssykeasyl. Disse ulykkene som rammet et menneske han følte sympati for, har Ibsen etter all sannsynlighet fått ihvertfall et visst kjennskap til.

*

Ut på høsten 1878 skrev dikteren ned den første opptegnelsen til et skuespill han omtalte som «Nutids-tragedien». Notatet lyder slik:

«Der er to slags åndelige love, to slags samvittigheder, en i manden og en ganske anden i kvinden. De forstår ikke hinanden; men kvinden dømmes i det praktiske liv efter mandens lov, som om hun ikke var en kvinde, men en mand.

Hustruen i stykket ved tilslut hverken ud eller ind i hvad der er ret eller uret; den naturlige følelse på den ene side og autoritetstroen på den anden bringer hende ganske i vildrede.

En kvinde kan ikke være sig selv i nutidens samfund, der er et udelukkende mandligt samfund, med love skrevne af mænd og med anklagere og dommere der dømmer den kvindelige færd fra mandligt standpunkt.

Hun har begåt falsk, og det er hendes stolthed; thi hun har gjort det af kærlighed til sin mand, for at redde hans

liv. Men denne mand står med al hverdagslig hæderlighed på lovens grund og ser sagen med mandligt øje.
Sjælekampe. Trykket og forvirret under autoritetstroen taber hun troen på sin moralske ret og evne til at opdrage sine børn. Bitterhed. En moder i nutidens samfund, ligesom visse insekter gå hen og dø når hun har gjort sin pligt til slægtens forplantelse. Kærlighed til livet, til hjemmet, til mand og børn og slægt. Fra og til kvindelig afrysten af tankerne. Pludselig tilbagevendende angst og rædsel. Alt må bæres alene. Katastrofen nærmer sig ubønhørligt, uafvendeligt. Fortvivlelse, kamp og undergang ...» (3).

Denne opptegnelsen slår en bro fra det kvinnesyn Ibsen hadde manifestert og det ulykkelige ekteskap han hadde fått innblikk i, over til det nye skuespill som begynte å ta form under hans penn.

For det første finner vi tydelige trekk fra Laura Kielers ekteskapshistorie i det begivenhetsforløp «Et Dukkehjem» er bygd over. Hovedpersonen, fru Nora Helmer, har forfalsket en veksel for å skaffe sin lungesyke mann et opphold i Syden. Uten å røpe hvorledes det forholdt seg med lånet, har hun spart og arbeidet for å klare sine gjeldsforpliktelser. Etter som handlingen skrider fram, inntreffer det situasjoner som truer med å avdekke, og som tilsist åpenbarer hele sannheten for ektemannen. Det viser seg da at han i utpreget grad er en mann med «små tanker ... og smålige hensyn», en mann som bare er i stand til å se «sagen med mandligt øje». Han fordømmer sin hustru for det brudd på samfunnets lover hun har gjort seg skyldig i, han vil forstøte henne og frata henne retten til å oppdra deres barn. For fru Nora som hele tiden bare har handlet av kjærlighet til mannen og ut fra det hun har ansett for sin høyeste plikt, kommer den brutale konfrontasjon med den mannlige tenkemåte som et sjelelig sjokk som legger hennes ekteskapelige liv i grus.

Hva kan så dikteren ha ment med å gjenskape denne historien fra virkeligheten i form av et kunstverk? Hvilke tanker og følelser er det han har villet formidle gjennom sitt stykke?

Spørsmålet synes forholdsvis lett å besvare om man holder seg til skuespillets siste scene der dikteren i klare ord trekker konklusjonene av det drama som har utspilt seg. Gjennom Noras munn får vi her fremsatt synspunkter om kvinnens spesielle natur og mannssamfunnets nedvurdering av henne som hadde gått igjen i kvinnesaksdebatten. Etter dette virker det som Ibsen med sitt nåtidsdrama har villet slå et slag for kvinnens åndelig frigjøring og samfunnsmessige rettigheter, med andre ord at han har skrevet et tendensskuespill om kvinnesaken. Og som et kvinnesaksstykke ble det da også oppfattet av samtidens publikum; nettopp denne aktualitetsinteressen var det som i første omgang skapte stykkets enorme suksess verden over.

I våre dager er kvinnesaksdebatten i dens opprinnelige form forlengst forstummet, dens idéer hører i hvert fall ikke til dem som sterkest opptar nåtidsmenneskers sinn. Allikevel opplever man om og om igjen at «Et Dukkehjem» – godt spilt – synes å virke betagende også på et moderne publikum. Hva kan mon dette komme av?

Det kan neppe bety annet enn at stykket som helhet ikke går opp i den kvinnesaksforkynnelsen det ender med, at det rører ved mer allmenngyldige problemer enn de som stadig ble debattert i siste halvdel av forrige århundre. I dag må en oppførelse av «Et Dukkehjem» legge vekten på andre sider av skuespillet, på dets rent menneskelige innhold.

Man kan for eksempel anse hovedskikkelsen Nora Helmer for en person som er blitt hemmet i sin naturlige utvikling. Selv som voksen er hun ikke kommet ut over en barnslig og ubevisst innstilling til tilværelsen, hun har blant annet ikke lært å føle ansvar for sine handlinger. Det kan pekes på en rekke trekk hos henne som underbygger en slik hovedkarakteristikk: hennes naivitet i forretningssaker er nesten utrolig hos et voksent individ, hun lyver i øst og vest etter som det passer henne, hun viser en kynisk interesseløshet for alle fremmede osv. – listen kan uten vanskelighet suppleres med flere eksempler. Denne umodne og overfladiske kvinnen blir så gjennom de ytre begivenheter plutselig vakt til bevissthet om sitt ansvar både overfor seg selv og det samfunn hun lever i. Hvis dette er hovedlinjen i skuespillet, blir «Et Dukkehjem» noe annet enn et tendensstykke fra åtti-årene, det blir et tidløst drama om det eviggyldige problem: menneskets ansvar i tilværelsen.

Men Nora Helmers manglende utvikling kan også betraktes under en annen synsvinkel. Når hun ikke har fått utfolde de evner og anlegg hun var utstyrt med fra naturens hånd, skyldes det omgivelsenes feilaktige oppfatning av henne, først gjennom den oppdragelse hun har fått, og siden gjennom de forhold hun lever under i sitt ekteskap. Hennes oppbrudd fra en tilværelse andre har pålagt henne, blir da å oppfatte som en seier for hennes rett til å være seg selv. Gjennom en slik tolkning blir kvinnesakstemaet gitt et videre perspektiv: fra å være en tidspreget aksjon for større samfunnsmessige rettigheter, kommer det til å gjelde ikke bare kvinnenes, men alle menneskers rett til å realisere de muligheter som bor i dem, retten til å hevde sin personlighet mot de krefter som vil holde den nede under konvensjonenes åk. Kan hende er det på denne måten «Et Dukkehjem» oppleves av de fleste i dag.

Begge disse tolkninger av skuespillet hviler på den oppfatning at hovedpersonen er et uferdig, et umodent menneske som trenger til å utvikle seg. Men er nå dette så sikkert? Og om det skulle være tilfelle – har ikke hennes mann Torvald Helmer et like stort, eller enda større behov for å oppdras? Hvorfor kan da ikke Nora like godt utvikle seg sammen med ham, på den plass hvor hun nå engang er satt i livet? Mange vil kanskje synes at Nora handler egoistisk når hun setter hensynet til sin personlige utvikling over hensynet til barna, ja at hun rett og slett er en dårlig mor som går fra sine tre små og overlater dem til en gammel barnepikes omsorg. Der er vel også dem som fornemmer et fall i kunstnerisk kvalitet mellom den resonnerende kvinnesaks-kvinnen i siste akt og det levende menneske de har møtt tidligere i stykket.

Nettopp denne hovedpersonens enestående livaktighet og sjarm er et særkjenne for vårt skuespill. Mon det i hele Ibsens persongalleri fins noen annen skikkelse som dikteren synes å ha omfattet med en slik kjærlighet som nettopp Nora Helmer? Fra hun trer inn på scenen, utstråler hun et smittende humør, hun er en av de benådede skapninger som gjør tilværelsen lys og lett omkring seg. Visst har hun, som vi har pekt på, sine tydelige feil. Men kan ikke mange av dem tilskrives hennes oppdragelse og miljø? Og kan det ikke påvises like mange positive trekk i hennes vesen – hjertevarme og omsorg for dem som nu engang utgjør hennes verden? For at det ikke skal herske noen tvil om av hva gehalt hennes egentlige natur er, setter dikteren henne på en alvorlig moralsk prøve.

Et stykke ut i annen akt sitter Nora i tusmørket alene med doktor Rank. Hun er under press av sin kreditor og leter febrilsk etter en utvei til å skaffe penger. I denne situasjon opplever hun at den velhavende, men dødsmerkede doktor Rank erklærer henne sin kjærlighet. Dermed åpner det seg en anledning til å komme ut av de økonomiske vanskeligheter – og hvor mange ville ikke i hennes sted latt seg friste til å benytte seg av den? Ibsens Nora gjør det ikke. Med sikkert instinkt for det rette – for hvor skillet går mellom moralsk hederlighet og moralsk snuskethet, avslår hun å utnytte ekte følelser for å tilgodese sine materielle behov. Er det ikke som om dikteren med denne scenen har villet heve Nora-skikkelsen opp over de mange småfeil hun har vært be-lemret med, og plassere henne på et høyt etisk nivå?

Der har hun vel egentlig hørt hjemme hele tiden. Rett be-sett hviler jo det Helmerske dukkehjem på husfruens modige og selvoppofrende innsats. Og denne hennes innsats er igjen utsprunget av de høye tanker hun har om kjærligheten mel-lom mann og kvinne. Blir den satt på en alvorlig prøve, vil den etter hennes oppfatning vise seg i at de to som er så nær knyttet til hverandre, vil være rede til å ofre alt for den de er glad i – personlig velferd, navn og rykte, ja livet selv. Dette er «det vidunderlige» hun går og venter på. I overensstemmelse med dette ekteskapsideal har hun selv levet; og da prøvelsen kommer, venter hun det samme av sin mann. Når han så totalt svikter, blir samlivet for henne med ett tomt og uvirkelig. Dette tar hun den fulle konsekvens av, heller enn å fortsette i en vanetilværelse som har mistet sitt grunnlag, og viser også på den måten hvilken helstøpt personlighet hun er. Slik oppfattet blir «Et Dukkehjem» først og fremst et kjærlighetsdrama hvor et høyspent og et mer dagligdags syn på ekteskapet blir stilt opp mot hverandre.

For dem som opplever skuespillet på denne måten, vil den siste scenen hvor Nora omgjør sin dødelige skuffelse til et kvinnesaksprogram, komme til å fortone seg som et utenpåklistret vedheng, uten kunstnerisk sammenheng med skuespillet for øvrig. I sitt utspring kan nok stykket ha vært inspirert av tidsbestemte kvinnesakstanker, men under utarbeidelsen er det vokst langt ut over dem.

Så forskjellige tolkninger kan «Et Dukkehjem» bli gjenstand for. Dette viser bare hvor levende stykket ennå er. Som ethvert ekte kunstverk åpenbarer det stadig nye sider for hver ny generasjon som opplever det.

*

Den dramatiske oppbygging av «Et Dukkehjem» er et godt eksempel på det man har kalt Ibsens «retrospektive teknikk». Denne går i korthet ut på følgende: Skuespillet tar til like før det inntreffer en krise i hovedpersonenes liv. Etter som handlingen skrider fram på nåtidsplanet, foregår det en gradvis avdekking av forhold i fortiden som er årsak til den forestående krise. Samtidig med at tilskuerne følger de aktuelle begivenheter på scenen, får de altså et stadig dypere innblikk i forutsetningene for det som skjer. Stykket utspilles med andre ord på to plan.

Denne dramatiske konstruksjon stammer opprinnelig fra den greske tragedie. Ibsens originale innsats ligger i den måte han lar opprullingen av fortiden foregå på. I det klassiske drama ble avdekkingen av fortiden gjerne besørget av et kor som kommenterte begivenhetene på scenen, men uten selv å ta aktiv del i dem. I et moderne realistisk skuespill som bestreber seg på å skape den sterkest mulige virkelighetsillusjon, kunne et slikt stilisert kor vanskelig brukes. Andre løsninger måtte finnes. Det er lærerikt å følge i detalj hvordan Ibsen i «Et Dukkehjem» har løst problemet ved hjelp av de sceniske virkemidler som stod til hans rådighet innenfor et realistisk samtidsskuespills ramme.

I «Et Dukkehjem» finner vi for første gang denne retrospektive teknikk fullt utbygd. Senere utviklet Ibsen den til stadig større kunstnerisk fullkommenhet i de store nåtidsdramaene som fulgte – særlig gjelder dette «Gengangere» og «Rosmersholm». Den gradvise avdekking av fortiden er i disse monumentalt oppbygde skuespill den eneste faktor som skaper spenning og driver handlingen på scenen framover. I «Et Dukkehjem» har Ibsen trengt til også et annet handlingsbefordrende element – det uhellssvangre brevet i postkassen. Det er ikke vanskelig å oppdage den rolle det spiller i den dramatiske oppbygging. Bruken av slike mer tilfeldige innslag hadde Ibsen antagelig lært av det franske borgerlige drama, ikke minst av «intrigens mester» Scribe. Men etter «Et Dukkehjem» slo han vrak på slike ytre hjelpemidler.

Vi har altså kunnet konstatere at «Et Dukkehjem» både ved sitt emnevalg og sin dramatiske oppbygging bærer preg av å være blitt til i realismens tid. Den litterære moteretning realismen ble i Norden innvarslet gjennom en rekke forelesninger Georg Brandes holdt ved Københavns Universitet i 1871. I dem stilte han to hovedkrav til en litteratur som ville fortjene betegnelsen moderne: den skulle sette problemer under debatt, og den skulle gi et sannferdig bilde av menneskenes daglige liv. At Ibsen i «Et Dukkehjem» har ønsket å etterleve også det siste punkt i realismens program bærer stykket tydelig preg av allerede fra teppet går opp – ja før det. Man kan begynne med å lese sceneanvisningen til første akt nøyaktig: «En hyggelig og smakfullt, men ikke kostbart innrettet stue. En dør til høyre i bakgrunnen fører ut til forstuen, en annen dør ...» En så detaljert beskrivelse av et typisk middelstandsinteriør plasserer umiskjennelig skuespillet i den realistiske tradisjon. Den samme nitide virkelighetstroskap finner man igjen i de første scenene som utspilles. Det er julaftens formiddag, husfruen kommer hjem fra juleinnkjøp, fulgt av et bybud som bærer juletreet og som får en ekstra drikkeskilling i anledning dagen, ektemannen titter ut fra sitt kontor for å snuse på pakkene osv. Hvilken tilskuer vil ikke nikke gjenkjennende til en så ekte gjengivelse av den spesielle julaftensatmosfære i norske hjem? Denne tilforlatelige avspeiling av den daglige tilværelse fortsetter hele skuespillet igjennom.

Men midt oppe i denne virkelighetsgjengivelsen kommer også andre tendenser til syne. Et annet kunstnerisk uttrykksmiddel gjør seg gjeldende, et uttrykksmiddel den store dramatikk til alle tider har anvendt – symbolikk. Et tydelig eksempel på dette finner vi i sceneanvisningen til annen akt. Den lyder slik: «Samme stue. Oppe i kroken ved pianofortet står juletreet, plukket, forpjusket og med nedbrente lysestumper ...»

Fra et realistisk synspunkt er det helt naturlig at treet som julaften pranget nypyntet midt i stuen, ser medtatt ut morgenen efter. Men dikteren kunne jo latt det fjerne, siden det er blitt så trist et syn. Eller er det kanskje nettopp derfor han har latt det bli stående? Slik det nå tar seg ut, kan det oppfattes som noe mer enn et stykke inventar – for eksempel som et billedlig uttrykk for at den lyse og lykkelige stemning som dagen før hersket i det Helmerske hjem, nå er borte. Slik har Ibsen antagelig anvendt en realistisk detalj som symbol for en stemning han vil meddele. Dette ene eksemplet kan tjene som rettesnor når man selv skal til å lete etter andre symbolske virkemidler i stykket. Under et slikt arbeid bør man ha både øyne og ører åpne, for Ibsens symboler peker seg ikke på noen måte ut, stikker ikke av fra de realistiske omgivelser, og kan derfor være vanskelige å bli oppmerksom på. De kan for eksempel ligge i noe så selvfølgelig som scenebelysningen og de opptredendes påkledning.

Ett viktig symbolsk virkemiddel trenger en spesiell forklaring for at man skal forstå dets fulle rekkevidde. Det gjelder tarantellaen som Nora danser i slutten av annen akt.

Tarantella er en virvlende hurtig italiensk folkedans som sannsynligvis har sitt navn etter edderkoppen tarantel. Et stikk av dette giftige kryp kunne føre til død eller vanvidd hos dets ofre, men etter folketroen kunne man prøve å drive giften ut ved å hengi seg til vill dans. Er det ikke akkurat noe slikt Nora forsøker da angsten har jaget henne inn i en ekstatisk tilstand som nærmer seg vanvidd?

Slik kan vi se hvordan Ibsen gang på gang bringer symbolske uttrykksmidler inn i sin realistiske tekst. Men dermed har han også hva formen angår gjort sitt verk til noe annet og mer enn et samfunnsskuespill fra forrige århundre.

NOTER

(1) Henrik Ibsen, Samlede Verker, Hundreårsutgave, Bind VIII, s. 250.
(2) Samlede Verker, Bd. XV, ss. 402–403.
(3) Samlede Verker, Bd. VIII, ss. 368–369.